suhrkamp taschenbuch 1072

Peter Handke, geb. 1942 in Griffen (Kärnten), lebt heute wieder in Österreich.
Auf der Bühne, in der direkten Ansprache an den Zuschauer, erreicht Peter Handkes mit der *Langsamen Heimkehr* begonnene »recherche« nach einer Daseins-Möglichkeit in unserer Zeit ihren Abschluß und Höhepunkt: zwischen den drei Geschwistern Gregor, Hans und Sophie kommt es zu einem Konflikt um das elterliche Haus. Gregor hat, als der älteste, nach dem Tode der Eltern das Haus mit dem dazugehörigen Grundstück geerbt. Hans, der dieses Haus nun mit seiner Familie bewohnt, bittet seinen Bruder, auf seine Rechte daran zu verzichten, um der Schwester den Aufbau einer eigenen Existenz zu ermöglichen. Gregor steht dieser Bitte zuerst negativ gegenüber, da er die Veräußerung des Hauses als einen Verrat an den Eltern ansieht. Nachdem Gregor im heimatlichen Dorf mit seiner Schwester gesprochen hat, es ihm aber nicht gelingt, sie von ihren Plänen, ein eigenes Geschäft zu gründen, abzubringen, stimmt er, resignierend, dem Plan der beiden Geschwister zu. Doch bevor diese Resignation Gregors zur endgültigen Entzweiung der Geschwister führt, verkündet Nova, in einem dramatischen Gedicht, den Geist des neuen Zeitalters. Mit dieser Rede umreißt Peter Handke die Vision eines Zeitalters, in dem die Beziehungen zwischen den Menschen und zu der Natur völlig neue sind: »Ich bin der einzige Held und ihr sollt die Entwaffnenden sein. Ja, das Ich ist die menscherhaltende Menschnatur! Der Krieg ist fern von hier.« Und denjenigen »Modernen«, die sich als die Nachgeborenen verstehen, in einer Endzeit lebend und sich für illusionslos haltend, wird entgegengehalten: »Illusion ist die Kraft der Vision, und die Vision ist wahr.«
»Es ist Peter Handkes einzigartige Kunst, im banalen Augenblick jedermanns Erfahrung sinnlich zum Vorschein zu bringen. Er weitet ganz alltägliche und transitorische Wahrnehmungsmomente zu Zeit-Räumen, in denen die ›Hoffnung auf zukünftige Sinngebung aufblitzt‹ (Karl Wagner). Für Gefühle erfindet er Körperbilder, die jeder für sich konkretisieren kann.« *Profil*

Peter Handke
Über die Dörfer

Dramatisches Gedicht

Suhrkamp

suhrkamp taschenbuch 1072
Erste Auflage 1984

Satz: IBV Lichtsatz KG, Berlin
Druck: Ebner Ulm · Printed in Germany
Umschlag nach Entwürfen
von Willy Fleckhaus und Rolf Staudt

1 2 3 4 5 6 – 89 88 87 86 85 84

Nova
Gregor
Die Verwalterin der Bauhütte
Hans, Gregors Bruder
Anton } Arbeitskollegen von Hans
Ignaz } Arbeitskollegen von Hans
Albin } Arbeitskollegen von Hans
Sophie, Gregors Schwester
Alte Frau
Das Kind von Hans

Für die Schauspieler:

»Hier stehe *ich.*« – Alle sind im Recht. – Nach Schlußworten weiterspielen. – Innige Ironie.

»Eine zärtliche Langsamkeit ist das Tempo dieser Reden.«

Friedrich Nietzsche, *Ecce homo*

»Rolling on the river...«

Creedence Clearwater Revival, *Proud Mary*

I

Gregor vor dem Vorhang. Nova kommt dazu und weist auf Gregor.

NOVA

Er war ohne Ohr für den unterirdischen Heimwehchor
Mann aus Übersee, blind für die Tropfen Blut im Schnee
Zuschauermaske über den Wangen, Hand unter Händen an Haltestangen
Wanderer ohne Schatten – Nordsüdostwestherr!
Aber jetzt weiß ich nicht mehr.

GREGOR

Mein Bruder hat mir einen Brief geschrieben. Es geht um Geld, um mehr als Geld: um das Haus unsrer verstorbenen Eltern und um das Stück Grund, auf dem es steht. Beides habe ich als der Älteste geerbt. Mein Bruder wohnt in dem Haus, mit seiner Familie. Er bittet mich, auf das Haus und das Grundstück zu verzichten, damit unsre Schwester sich selbständig machen und sich ein

Geschäft einrichten kann. Meine Schwester ist angestellt in einem Warenhaus. Mein Bruder hat ein Handwerk gelernt, arbeitet aber seit langem nur noch auf Großbaustellen, weit weg vom Haus und vom Dorf, und tut dort alles mögliche, das nicht mehr mit seinem ursprünglichen Beruf zusammenhängt. – Es ist eine lange Geschichte. Ich erinnere mich an keinen Moment ausgesprochener Liebe zu den Geschwistern, aber an nicht wenige Stunden der Angst und der Sorge um sie. Noch vor dem Schulalter waren sie einmal einen ganzen Tag verschwunden, und ich lief den Bach ab, bis jenseits des Nachbardorfes, wo er schon in den großen Fluß mündete. Wir wußten vielleicht nichts Besonderes miteinander anzufangen, aber es war immer wieder eine Beruhigung, sie ums Haus zu wissen. Wir waren oft uneins, aber das Versöhnende war jedesmal der Gedanke: »Wir sind doch alle da!« Später war ich es, der wollte, daß sie gleich mir länger auf Schulen gingen; ich blieb der einzige, der das wollte. Oft bei der Abreise in die Universitätsstadt ging ich mit dem Koffer an dem Sägewerk vorbei, wo ich den kaum ausgeschulten Bruder in seiner blauen Arbeitermontur sah, fuhr dann im Omnibus an der Gemischtwarenhandlung vorbei, wo ich die Schwester in ihrem Lehrmädchenkittel vor den Stoffballen oder hinten im kalten Magazin wußte, und spürte dann in der Brust ein Stechen, das nicht das übliche Heimweh war. Ich werde etwas tun, dachte ich. Aber durch all die Jahre weg vom Dorf entschwanden die Geschwister, und ich fand andre Angehörige, zum Beispiel dich, und das erschien mir recht so. Die Verwandten waren nur noch wie ferne Stimmen im Schnee. Bloß einmal kam einer von ihnen wieder nah. An einem Abend schaute ich im Fernsehen die Geschichte von einem halbwüchsigen Mädchen an, das als Vergewaltigte vom Dorf geächtet wurde und sich am Ende umbrachte. Sie wickelte sich in einen Schleier oder Umhang und rollte damit eine Flußböschung hinunter. Sie blieb freilich immer wieder hängen, im Gebüsch oder im hohen Gras, oder weil die Böschung zu flach war und der Schwung noch nicht stark genug. Endlich gelang es ihr doch, sie plumpste ins Wasser und ging auf der Stelle unter, und bei der Orgelmusik, die zugleich einsetzte, packte mich ein Weinkrampf. Es war eigentlich kein Krampf, sondern eine Art Lösung oder Befreiung. Das nächtliche Zimmer von damals ist ein sehr klarer und weiter Raum. Das Bild, das mit dem ertrinkenden Mädchen auf mich einstürzte, handelte von meinem Bruder und befahl mir, ihn von zu Hause, aus dem Dorfbereich, den er noch kein einziges Mal verlassen hatte, wenigstens für eine kurze Zeit herauszuholen und ihm etwas von der anderen Welt zu zeigen. Er mußte, wenigstens einmal, weg von seiner Arbeit, und in einem andern Gewand auftreten als in seiner blauen Montur, und von dem Glanz der Städte wenigstens eine Ahnung kriegen! Bis dahin kannte er ja einzig die nahe Landstadt, und diese fast nur von dem Bett der »Arbeiterunfallklinik«: noch nicht erwachsen, hatte er an Armen und Beinen schon Narben und Verstümmelungen, wie sonst kaum ein Veteran. Er folgte dann gehorsam meiner Einladung. Es wurde nichts Großes daraus, aber immerhin: es war gewesen. In den Jahren danach kam es freilich zwischen dem Bruder und mir zur Entzweiung. Die Ursache dafür war, daß er den Eltern Kummer machte, weit über das dorfübliche Maß hinaus. Ich veranlaßte schließlich, daß er von Haus und Grund verwiesen wurde. Es kam zu einer Szene, bei der ich in der Haustür stand, und der Verstoßene weiter weg, an der Grundstücksgrenze, vor dem Nachbarhaus; zwischen uns die mit seinen Sachen vollgepackte Reisetasche, die ihm am Morgen, als er von irgendwo daherkam, auf den Weg gestellt worden war. Das Stillschweigen im Haus hinter mir, wo gerade noch die fast lautlose Wehklage um den Sohn die Räume erfüllt hatte! Ich schrie zu dem Bruder hinüber: »Wenn du es wagst, hier noch einmal über die Schwelle zu treten, dann erschieße ich dich!« Er antwortete darauf nur mit Hohn; denn es gab bei uns ja kein Gewehr im Haus, und das einzige, auf das ich bisher geschossen hatte, waren die Plastikblumen an den Kirchtagsständen gewesen. »Komm her, und ich schlage dich nieder!« schrie er zurück. Und dabei blieben wir doch beide, wo wir waren, ich auf den Haustorstufen, er an der Grundstücksgrenze, und tauschten auf die Entfernung alle möglichen Drohungen und Verfluchungen aus; und in der folgenden Nacht holte er tatsächlich seine Tasche ab und verschwand ins Ausland, als Fremdarbeiter in irgendeiner Barackenunterkunft irgendeiner Großstadtperipherie. Trotzdem kam mir im nachhinein jener Verfeindungsauftritt unecht und bloß gespielt vor. Schon im Verlauf der Beschimpfungen war mir zwischendurch zum Abwinken und Lachen zumute. Wir hätten jederzeit aufhören und ohne einen Gedanken an das gerade Vorgefallene zusammen ein Bier trinken gehen können. Bei allem Unheil, für das der Bruder verantwortlich war – wir hatten im Grund nichts gegeneinander, gar nichts, auch nicht damals in unsrer Streit-Stunde! Aber wir hatten das Spiel wohl spielen müssen. Endgültig war damit nichts geworden. Nicht wenige Traumbilder handelten von ihm – und solcherart verkehrten wir weiterhin miteinander. Das Wiedersehen an den Grablöchern der Eltern bedeutete dann nicht etwa die Aussöhnung, sondern bestätigte, bekräftigte, beruhigte, und setzte außerdem fest: Wir würden einander nie wieder ein böses Wort sagen. Ich wußte doch, daß ich vielleicht noch weit ärgere Dinge als damals der Bruder getrieben hätte, wäre ich dem vorgegebenen Lebenslauf nicht durch irgendein Glück entkommen. Der Bruder liebt seine Frau und sein Kind wie seine Retter. Und das Anwesen ist für ihn ein Reservat geworden: er will nie mehr von dort weg, und hat sich bei der Beerdigung der Eltern das Bleiberecht auf Lebenszeit erbeten. Seinerzeit auf dem Friedhof sah ich den Taugenichts neu, als einen stolzen und zugleich ortsfremden Menschen. Es war weniger ein Blick als ein Geruch, und der Geruch ist nachhaltig. Der Brief zugunsten der Schwester ist ein Rätsel – und wieder nicht: denn als wir uns damals umarmten, roch ich an meinem Bruder auch das ewige Opfer.

NOVA

Du fingst von zwei Geschwistern an, und am Ende ging es nur noch um einen.

GREGOR

Die Schwester war von uns dreien die Ungefährliche, auch die Geheimnislose, Harmlose. Für ihren Beruf oder ihre Stellung war sie nicht typisch; nie hätte man sie »Verkäuferin« nennen können. Sie stand hinter dem Laden in der Gemischtwarenhandlung oder später in der Etage des Warenhauses, jedesmal wenn ich sie besuchte, eher wie eine Aushilfe, oder wie eine gute Bekannte der Verkaufsperson, deren Verhalten daneben unverkennbar offiziell war. Meine Schwester erschien dagegen verantwortungsfern-unbekümmert. Sie verkaufte wohl nicht ungern, aber ohne Eifer oder Leidenschaft. Ihre Schrift auf den Kassazetteln ist immer eine Kinderschrift geblieben. Sie wollte allerdings auch nie ernsthaft etwas anderes sein als eine untergeordnete Angestellte. Nie habe ich so etwas wie Mitleid für sie gespürt. Und doch wirkte eines jeweils stark nach: und das waren die Blicke, die die jeweiligen Geschäftsinhaber oder Aufsichtspersonen von weitem auf die Schwester warfen, wenn sie mit mir, der kein Kunde war, länger als für einen Begrüßungssatz Privatgespräche führte. Wie ausgeschaltet in solchen Momenten das Tageslicht: es gab dann nur noch die blinkenden Metallstangen mit den bunten Kleiderbahnen, den Kunststoffboden und die Schrankluft, totgefärbte Haare hier wie dort, statt Augen Schatten, und das wunde Rot der Fingernägel. Einmal fiel mir da auf, daß meine Schwester bucklig geworden war, und ich wollte sie aus ihrem Loch heraus. Aber wie? Und wohin? Ich traute ihr keine Selbständigkeit zu. Ein Laden heutzutage – ja: wenn da ein Vorfahr sozusagen als der Hausgeist mittut. Aber in den neuerrichteten Geschäften, auch in den verwinkeltsten alten Räumen, ist da alles nicht bloß nachgestellt? Und trotzdem habe vielleicht gerade ich damals der Schwester den Gedanken ans Sich-selbständig-Machen in den Kopf gesetzt, indem ich ihr vorschlug, aus dem Beruf und ihrer Klasse wegzugehen – in keine höhere, nur eben weg. Die Hypothek jetzt wäre ihre Möglichkeit. Aber ich bin nicht bloß unschlüssig, sondern fühle mich auch schuldbewußt: als hätte ich der Schwester eine immerhin sichere Stellung ausgeredet und damit zugleich dem Bruder das gerade ihm so notwendige Territorium gefährdet. Denn ich gebe das Haus im voraus verloren; aus einem Geschlecht von Habenichtsen kann kein Geschäftsgeist kommen. Und das ist noch nicht alles: Ich kann nicht wegdenken, daß es sich um das Haus unsrer Eltern handelt. Sie haben es fast allein erbaut und sich dabei um einige Lebensjahre gebracht. Auch das Grundstück wurde erst durch ihre Hände nutzbar gemacht: sie haben in einem Felsen eine Quelle gefaßt und von dort das Wasser in langen Rohren metertief unter der Erde – weißt du, was das heißt? – zu Haus und Garten geleitet. Die Steinblöcke wurden zu Terrassenmauern geschichtet, und auf dem steinfreien Erdreich stehen jetzt Obstbäume, oder es wächst einfach nur Gras, von dem aber jeder einzelne Fleck seinen besonderen Namen hat. Für eine lange Zwischenzeit galt mir der Ort wenig.

Als du mir einmal erzähltest, jedesmal bei der Wiederkehr in deinen ersten Umkreis spürtest du schon von weitem geradezu eine »Seligkeit«, da verstand ich das und beneidete dich. Von mir hätte ich dergleichen kaum sagen können. Aber seit dem Brief ist mir der alte Platz ganz gegenwärtig. Er ist der Hauptort meiner Träume geworden, der abschreckenden wie der vorbildhaften. Auf der höchsten Terrasse steht ein Baum als ein deutlicher Mittelpunkt. Der Blick geht von dort nach Süden, über die Grenze. Der Baum gehört schon zu dem anderen Land. Vor dem Grenzberg streckt sich eine weite Ebene mit Buckeln von Endmoränen. In der Dämmerung ist es dort still und leer, die Buckel rauchen, die Gletscher sind gerade erst abgeschmolzen, es ist zehntausend Jahre vor unserer Zeit, und es ist unsere Zeit. Diese Stelle mit dem Baum hatte ich insgeheim für mich vorgesehen. Ich wollte dort später einmal sein, in einem Holzhaus, von dem ich dir sogar einzelne Ecken beschreiben könnte. Ich sage dir: Der Ort ist schön. Und er ist nicht bloß Gebäude und Boden, sondern ein Nährgrund, eine Wirtschaft. Ich habe auf ihm die Schlange mit der Krone gesehen, als das örtliche Wappentier. Es darf nicht sein, daß das Haus nun endgültig zum Trauerhaus wird. Ich sehe das Werk – ja, das Werk – unsrer Eltern verschwinden. Ich sehe auf jedem unscheinbaren Arbeiterhaus in jedem noch so entlegenen Dorf eine

Firmen- oder Bankplakette blinken, und jedes Haus in der Landschaft als ein Geschäft, und vor Geschäftshäusern nirgends eine Gegend mehr. Ich sehe keine leeren Wege und keinen Zugang zur freien Ebene mehr. Ich sehe meine Verantwortungslosigkeit und mein Verrätertum. Ich weiß jetzt, daß ich gar nichts für die Geschwister tun kann, für niemanden. Ich kann nur erhalten. Und das will ich, um jeden Preis: erhalten! Am liebsten ließe ich den Brief unbeantwortet und bliebe hier bei dem einzigen, wo ich Treue beweisen kann: bei meiner Arbeit – die ohnedies schon gefährdet ist. Aber du wirst mir jetzt sagen, was ich tun soll.

NOVA

Spiele das Spiel. Gefährde die Arbeit noch mehr. Sei nicht die Hauptperson. Such die Gegenüberstellung. Aber sei absichtslos. Vermeide die Hintergedanken. Verschweige nichts. Sei weich und stark. Sei schlau, laß dich ein und verachte den Sieg. Beobachte nicht, prüfe nicht, sondern bleib geistesgegenwärtig bereit für die Zeichen. Sei erschütterbar. Zeig deine Augen, wink die andern ins Tiefe, sorge für den Raum und betrachte einen jeden in seinem Bild. Entscheide nur begeistert. Scheitere ruhig. Vor allem hab Zeit und nimm Umwege. Laß dich ablenken. Mach sozusagen Urlaub. Überhör keinen Baum und kein Wasser. Kehr ein, wo du Lust hast, und gönn dir die Sonne. Vergiß die Angehörigen, bestärke die Unbekannten, bück dich nach Nebensachen, weich aus in die Menschenleere, pfeif auf das Schicksalsdrama, mißachte das Unglück, zerlach den Konflikt. Beweg dich in deinen Eigenfarben, bis du im Recht bist und das Rauschen der Blätter süß wird. Geh über die Dörfer. Ich komme dir nach.

Beide entfernen sich nach links und rechts.

2

Das erste Bild. Im Hintergrund der Ausschnitt einer einsamen Großbaustelle, verdeckt durch einen Sackleinenvorhang. Im Mittelgrund eine Arbeiterunterkunft. Im leeren Vordergrund eine ältere Frau, die Verwalterin, Besorgerin und Beschließerin der ziemlich großen Baracke, mit Gregor. Klares Sonnenuntergangslicht, das so bleibt.

DIE VERWALTERIN

Sie haben Glück. Der Tag ist günstig. Die Arbeit hier geht allmählich zu Ende. Nächste Woche kommt der Trupp zu einem andern Baulos, ins andre Tal. Die meisten sind schon übersiedelt. Ihr Bruder besorgt mit ein paar Übriggebliebenen die letzten Ausbesserungen. Gleich werden sie da sein und feiern. Ich habe das Bier nicht kalt gestellt. Sie haben alle empfindliche Nieren. Die Baustelle ist zugig. Das ganze Tal hier ist zugig. Vordem stand an dieser Stelle ein Hochwald. Ich stamme aus der Gegend. Die Arbeiter kommen sämtlich woanders her. An den Wochenenden bin ich immer allein in der Hütte geblieben und habe Wache gehalten. An den Sonntagen kann es hier ziemlich still sein. Vom Dorf hört man kaum die Glocken. Früher habe ich viel gelesen. Jetzt schalte ich das Radio an oder schaue fern, das beruhigt. Die Bauleitung hat uns einen Fernseher in die Baracke gestellt. Dann freue ich mich aber doch, wenn montagfrüh die Burschen von zu Hause wiederkommen. Zwei Jahre leben wir schon hier zusammen. Nun wird die Baracke bald zerlegt und im nächsten Tal neu aufgestellt. Ich werde freilich nicht mitübernommen, sondern gehe ins Dorf zurück. Ich habe dort noch meine Kammer und werde mir eine Katze anschaffen. Das Dorf ist alt. Die Kirche steht auf einem kleinen Felsen. Nur ist sie jetzt fast dauernd abgesperrt. Dafür gibt es am Dorfplatz demnächst eine Dressurhundeschau. O Zeiten. Ihr Bruder ist mir teuer. Aber es gibt welche, die halten ihn für einen Tunichtgut, und manchmal glaubt er das wohl auch selber. In der Regel arbeitet er mehr als die andern, geradezu wild. Doch dann geht er zur Seite und versteckt sich, so daß förmlich nach ihm gesucht werden muß. Die Verantwortlichen halten ihn für unzuverlässig und haben ihm schon öfter mit Entlassung gedroht. Ich hier freilich weiß, daß er nicht arbeitsscheu ist, sondern ruhelos. Ihr Bruder ist von der ganzen Partie derjenige, dem das Wegsein und Entferntsein nach all den Jahren immer noch etwas ausmacht. Wenn er vor sich hinschaut, starrt er nicht Löcher in die Luft, sondern Bilder. Er, der mutigste und kräftigste am Ort, ist zugleich der hilfebedürftigste, haltloseste und jämmerlichste. Dabei spielt er oft sogar den Anführer und ist der Sänger mit der lautesten Stimme. – Wenn der Bau hier feierlich eröffnet wird, werden die Erbauer schon im nächsten Baulos schuften, und meine Person wird auf der Dorfstraße für sich und die Katze mit einer Blechkanne Milch holen gehen. Wer hört meine Stimme? O Zeiten.

GREGOR

Der Weg hierher war sehr lang. Schon am Taleingang wehten die Staubschwaden von den verschiedenen Baustellen. Das Wasser des Flusses war davon lehmig. Hinter jeder Ortstafel stand eine weit größere Tafel mit der Nummer des jeweiligen Bauloses. Aber ich nahm dann den Höhenweg zwischen den Obstgärten. Die Staubwolken trieben am Gegenhang, die Lastwagenkolonnen wirbelten zusätzlichen Sand auf, das Licht wurde dabei manchmal schweflig, es wurde mit der Zeit das Richtige, es griff aus der Ferne über als eine Art Schönheit. Ein einziger Mensch kam mir entgegen, dunkel gekleidet, er ging heim von einem Begräbnis, und unten im Tal sah ich dann die Totengräber in bunten Gilets mit silbernen Knöpfen und hörte das Scharren ihrer Schaufeln, das lauter war als die brummenden Laster am Gegenhang und das starke Laubgeraschel an meinem Hang. Ja, ich habe das tägliche Gleichnis gesehen, und so kann ich jetzt sagen: Wenn der Bau hier fertig sein wird, alle Staublöcher versiegelt, wird Ihre Gegend wieder neu sein. Folgen Sie dem Blick Ihrer Katze, wenn er an den Betonkanten vorbei ins Leere gehen wird. Dort zittert das Wasser in einem Baumblatttrichter und wirkt zurück als größerer Herzschlag, so daß Sie schließlich die Arme heben. Ihr Tal wird vielleicht im Handumdrehen wieder alt sein, und die Betonbögen werden Formglieder des alleraltesten Altertums sein. Auf dem Herweg kam ich an vielen dunklen Erdkellern vorbei: kann nicht auch der Bau hier bald ein Teil dieses Erdkellersystems sein? Kann nicht der Beton zurück zu Urgestein gedacht werden? Im Bauschutt sind Quellen, und sie werden im Hang frische Seitentäler bilden. Das Land bleibt schön und wird weiter gut tun, dachte ich. Lassen Sie ruhig die Automobile darin herumirren als die Frankensteinischen Monster. Einmal bin ich in einen Schneesturm geraten. Es ging dabei so hoch her, daß ich es fast mit der Angst bekam – aber dann bemerkte ich, wieviel ruhige Dinge es zugleich überall gab. Während dicke Äste abbrachen, häuften sich in den Zweiggabelungen friedlich die Flocken, und die dunklen Flecken auf dem Schneefeld waren Lindenblüten. Heißt nicht ein Sprichwort hier: »Die Kinder laufen *unter* dem

Wind«? Sag also nicht: O Zeiten!, sondern: O Zeit! *(Er hält inne.)* Aber werde ich morgen dem, was ich jetzt weiß, noch glauben können?

DIE VERWALTERIN

Noch nie hat jemand über die Gegend hier ein Wort verloren. Als ich jung war, erzählte man im Dorf viel von einem Bildhauer, der im letzten Jahrhundert da aufgewachsen sein soll. Heute können Sie kein Kind mehr nach ihm fragen, aber damals war er der geheime Held des ganzen Tals. Sooft ich an seinem Geburtshaus vorbeiging, wurde das ein Augenblick des Stolzes, daß jemand wie er aus derselben Gemeinde stammte wie wir andern. Seine Statuen hielten den Sog auf. Sein Haus erschien mir so groß und tiefräumig. Es war die übliche Keusche, noch bewohnt und bewirtschaftet, in einer gleichmäßigen ebenen Häuserzeile, und sie war doch stiller als die andern und wirkte erhöht. Der Bildhauer war in meinem Herzen der Lebendige. Ich sah ihn sogar als den »Menschensohn«: das heißt, er stellte für mich alle Lebensalter in einem dar, und vordringlich das früheste. In manchen Momenten war ich sein Doppel- oder Wiedergänger: Ich, das Kind, ging neu als er, das Kind, durch das Dorf und hatte die weltweiten Augen. Ja, ich hier, die Alte von der Arbeiterbaracke. So etwas gibt es, merken Sie sich das. Es ist die Wirklichkeit. Im Frühnebel standen dann die parallelen Stangen der Heuharpfen und gingen als Pfeile in Richtung Sonnenaufgang. Im Herbst strahlten die Äpfel in den blattlosen Bäumen als anstoßbereites Billardspiel. Die gekreuzten Getreidegarben bildeten unser herrschaftliches Gemeinschaftszelt. In den Dämmerungen brauste das Wasser über helle Wegweisersteine, die schimmernden Felsen hoben sich vom Erdgrund ab, die Stunde der Phantasie kam, Raumschiffe schwebten ein, und allgegenwärtig hier im Gebiet war dann der Künstler, einte die Dinge, gab dem ganzen Tal seinen Zug, behauchte die selig Nichtige, die ich höchstselbst war, und hüllte sie in den Mantel der Unschuld ein, den auch die langjährige Schnapstrinkerin vor Ihnen als das Gegenteil jeder Last noch immer, immer wieder, auf ihrer Schulter fühlt. Und so etwas ist normal, merkt euch das, Tatsachensklaven. Wie verlassen sind doch heutzutage unsre Täler. Haben Sie nicht bemerkt, daß Ihr Höhenweg ein »Lehrpfad für unsere Gäste« ist, wo jede Baumart ein Namensetikett trägt und gleichförmige Schilder auch vor den alten Bildstöcken aufgestellt sind, statt mit »Buche« oder »Lärche« beschriftet mit »Andachtsstätte«? Wie verlassen ich meistens bin – ohne Dunstkreis. Einst hat man uns erklärt: die Glocken geben nicht die Zeit an, sondern gemahnen an die Ewigkeit. Doch unsereinem verkünden sie nichts mehr, und sie rufen niemanden – großer Klöppel, luftverdrängender Eisenguß, mieser Blechlärm. Hunde kommen in die Kirchen gelaufen und trinken die Weihwasserbecken leer. Keiner kümmert sich um den Ort. Wieviel Überliefernswertes geht da immer wieder vor sich, auch hier bei uns auf der Baustelle – und keiner hält etwas fest; nichts mehr wird weitergegeben. Höchstens gräbt einer im Schutt eine seltsame Wurzel aus, nimmt sie mit heim und lackiert sie als Gartenschmuck. Nieder mit euch Wurzelschnitzern, möchte ich sagen, und hinweg mit dem Blumengewucher in den ausgedienten Schubkarren und leeren Hundehütten. Wildnis, wo bist du? In der Zeitung kommen wir manchmal vor, wenn ein Unfall oder ein Verbrechen passiert. Das ist immerhin etwas, glauben Sie mir; wir lesen solche Berichte Wort für Wort, und der Name des Dorfs leuchtet uns dann entgegen wie unser eigener. Einmal war jemand da, im Namen der Öffentlichkeit, mit Tonband und Kamera, beklagte uns und erwartete, daß auch wir uns beklagten. Aber wir wollen anders vorkommen. Wir wollen gepriesen werden. Besser noch: Unser Ort hier soll verherrlicht werden, mit seinen Farben und Formen. Unbekannter Meister der Großbaustellen, wo bleibst du? Mach hier im Lehm deine täglichen Gänge, rechtfertige unser Tun mit deinen Werken und begeistere uns, damit in diesem Gelände die Dinge wieder anrufbar werden und die Namen wieder ausrufbar. Denn nirgends mehr weit und breit kann doch ein Ding angerufen, noch ein Name ausgerufen werden. Ubi est domus dei in qua invocabitur nomen eius?

Durch einen Spalt im Sackleinenvorhang kommen die Arbeiter von der Baustelle. Sie sind in verschiedenartiges, mehr oder weniger verwaschenes Blau gekleidet. Gelbe Schutzhelme, die sie sich gerade abnehmen. Es ist Hans, Gregors Bruder, mit drei andern. Die letzteren verschwinden gleich hinten in der Unterkunft. Die Verwalterin vorn tut desgleichen. Hans geht um die Baracke herum. Er betrachtet Gregor, tritt dann einen Schritt zurück und schwenkt mit dem ausgestreckten Arm über das ganze Gelände, auch boden- und himmelwärts. Stille; aus der Baracke höchstens gedämpfte Geräusche von Schritten, Geschirr, einem Radio.

HANS

Ich habe dich schon von weitem erkannt, an deiner Haltung. Immer noch gilt, was die Eltern schon damals von dir sagten: »Er schaut, als ob er nichts versteht.« Aber ich weiß auch, daß das nicht stimmt. Dir entgeht wenig. Du bist schlau.

Du hast das Kommende jeweils schon vorausbedacht. Nie war ich sicher, woran ich mit dir war. In allen Spielen hast du mich geschlagen. Du warst kein Falschspieler, aber du bist, jedenfalls zu uns Geschwistern, in der Regel ein grausamer Gewinner gewesen. Du bist dann tatsächlich jedesmal dagesessen wie einer, der gesiegt hat. Nie hast du uns anmutig überwältigt, wie sich das gehört, damit ein Sieg auch bewundert werden kann. Denn unser Sprichwort sagt doch: Ein guter Sieg muß die Besiegten freudig stimmen. Nein, du hast uns, den Verlierern, die Beschämung kaum je erspart. Mir hat das ja wenig ausgemacht, wohl aber der Schwester: sie konnte nicht verlieren. Schon bei der kleinsten Niederlage war sie nicht mehr imstande, weiterzuspielen, und in ihrer Wut weinte sie nicht nur, sondern plärrte laut heraus, und du hast sie ausgelacht. Weißt du noch, wie sie sich dann manchmal einschloß, und wie du nicht anders konntest, als ihr nachzugehen und vor der verschlossenen Tür weiterzuspotten? Warst du so nur beim Spiel? Nein, auch sonst: Wenn man dich gebraucht hätte, warst du oft nicht da. Die Eltern haben beständig darüber geklagt: Er ist nur für sich und will von niemandem etwas wissen. Er hat so viel Mitgefühl und kann dabei die Schwachen auf die Dauer nicht leiden. Dann wieder bist du aufgetreten und warst ganz unser Bruder. Schaut her, das ist unser Bruder, haben wir gesagt. Er ist ein bißchen anders als wir und gehört doch zu uns. Er ist wie wir und wird uns nie vergessen. Niemand hat mir vorher geglaubt, daß du hierher in diese Ödnis kommen würdest. Und jetzt bist du wirklich da! *(Die Brüder umarmen einander. Hans läuft zum Umkleiden in die Baracke.)*

Gregor kurz allein. Er geht langsam auf und ab, zuerst mit gesenktem Kopf, dann mit erhobenem. Er bleibt stehen und betrachtet die Umgebung. In der Baracke ist jetzt das Licht an. Der Sackleinenvorhang dahinter wellt sich. Eine Ahnung von Staubschwaden. Ein leichtes Aufrauschen, das dann immer hörbar bleibt. Gregor hebt beide Arme. Hans kommt mit den drei andern aus der Hütte, bleibt auf der Rampe davor stehen und weist hinunter auf seinen Bruder. Die Arbeiter haben alle ihre blaue Montur abgelegt und tragen ein Alltagsgewand. Sie sind rasiert, gewaschen, gekämmt, und wirken über alle Maßen reinlich, gesammelt, würdevoll, und zugleich abenteuerlich und verwegen. Sie sind verwandelt.

HANS

Hier seht ihr meinen Herrn Bruder. In meinem ersten Lebensjahr hat er im Haus ein meinetwegen angebrachtes Gatter unversperrt gelassen, und ich bin die Stiege hinuntergekugelt und mit dem Kopf auf den Zementboden geknallt, so daß ich, wie man sagte, dann nur noch zum Arbeiter taugte. Zu Besorgungen geschickt, nahm er uns zwei Geschwister mit, setzte sich dann irgendwo an einen Wegrand und las und las, und wir andern, die wir ja allein noch nicht heimwußten, standen um ihn herum und schluchzten, jammerten und brüllten, ohne daß der sich auch nur einmal davon bei seinem Gelese stören ließ. Als er uns später bei den Schulaufgaben helfen sollte, stand er dabei und schlug uns auf die Köpfe, und wenn die Tränen auf die Tinte tropften, riß er die Blätter aus dem Heft, eins nach dem andern. Und keiner wagte da mehr, ihn zu strafen. Das ganze Haus, die ganze Gegend war schon von ihm eingeschüchtert, weil er so war, wie er war. Er zwang uns in den Wald zum Beerensammeln und wollte nicht verstehen, daß wir andern nicht wie er den Ehrgeiz zum Füllen der Gefäße hatten; stumm standen wir in Strauch und Moos und ließen uns von ihm als tierisch faul beschimpfen. Für jeden Schlag und jedes Schimpfwort schwor ich damals Rache. Nur selten spürte ich, daß er uns gern hatte. Erst aus der Ferne war er gut zu uns. Er grüßte in den Briefen nicht nur, nahm auch teil. Recht spät ging es mir auf: Er wollte uns wie sich. Er war allein und nahm sich für das Maß. Aber wir sind andere als er. Ich bin ein Arbeiter. Ich bin, das sage ich, als

Arbeiter geboren. Ich will nicht sein wie er da. Ich bin nicht scharf, zu essen, was er ißt, zu trinken, was er trinkt. Man fragt mich öfters, ob ich ihn beneide, und meine Antwort ist, daß ich zufrieden bin, ein Arbeiter zu sein. Und doch könnt ihr Vertrauen zu ihm haben. Er ist kein Hergelaufener mit einem Tonband, der euch die Geschichte eures Lebens und das Geheimnis stiehlt. Er hört euch vielleicht anders zu. Und er gehört zu uns und kratzt sich an den gleichen Stellen. *(Alle kommen nach vorn. Hans stellt die andern vor.)* Wir kommen alle aus demselben Tal. Das hier ist Anton. Er wohnt am Talende und lädt uns montagfrüh nacheinander an der Straße in sein Auto ein. Wenn du im Morgengrauen durch die leeren Dörfer fährst, noch lang bevor der erste Omnibus verkehrt, und siehst dann jeweils einzelne mit einem Seesack oder einer dicken Aktentasche, aus der die Thermosflasche schaut, vermummt und stier am Ortsrand stehen, so sind das wir. Anton baut gerade sein Haus. An den Wochenenden komme ich und helfe ihm. Das Wasser ist verlegt; der Keller ist schon ausgehoben. In einem Jahr wird vielleicht der Rohbau fertig sein; in wieder einem Jahr vielleicht ein Zimmer im Erdgeschoß: von dort wird langsam weiterausgebaut. Anton war lange Zeit in Übersee. Schau ihn dir an: Er ist so alt wie du und hat fast keine Zähne mehr. »Wir mögen euch, so wie ihr seid«: das sagen zwar gehorsamst immer wieder unsre Frauen – aber naturgemäß hätten sie uns lieber anders; wie wir auch sie: mit O-ja!-Brust und ohne Krampfadern. Sind unsre Namen füreinander nicht schon so, als richteten wir uns an die eigenen Eltern? »Vater« sagt meine Frau zu mir, »Mutter« sage ich zu meiner Frau. Und ist dabei denn überhaupt Zeit vergangen, seit eine Nacht zu zweit wüst, heiß und flüssig wie das Magma war, das freie Feld um uns ein von uns allein erfüllter Haupttanzboden, der Himmel oben warmes Atemfell im Körperinnern, das Weltall windhauchklein, und wir darin geheim! Sind wir nicht alle noch jung? Anton schuftete jahrelang in Übersee, im Hohen Norden, bei der Verlegung der Erdölrohre, doch ging er nicht gerade noch mit dir zusammen zur Volksschule? Hier *(er zeigt)* das abgefrorene Ohr – das doch vor kurzem erst ein Lehrer abzureißen drohte? Hier *(er zeigt)* die abgequetschten Fingerspitzen, vor einem Augenblick noch die Hand deines Vordermanns im Zug der Ersten Heiligen Kommunion – vor einem Augenblick noch zu kurzfingrig für die dicke Zierkerze, vor einem Augenblick noch tropfnaß vom Weihwasser! Und hier *(er zeigt in den Hintergrund)* das Gerumpel der Betonmischmaschinen, Tag für Tag, und doch nicht aktueller als das Krachen des Osterfeuers vor zwanzig Jahren; die täglichen Schwaden des dampfenden Teers in der Nase, und zugleich an den Innenhandflächen immer noch der weit stärkere Geruch der in den fremden Obstgärten vorzeiten gestohlenen Frühäpfel; das Geschrei und Gebrüll der Poliere und Ingenieure hier im Gestänge: wie leicht übertönt von dem sanften Geräusch eines Haustiers von damals, das sich immer noch, jenseits der Stechuhrzeit, von seinem Platz erhebt oder zur Ruhe legt. Und das ist keine sogenannte Erinnerung! Wir sind noch jung! – Der hier ist Ignaz. *(Er zeigt.)* Auch er arbeitete lang in Übersee, im Dschungel der Äquatornähe. Er stammt aus unserm Nachbardorf und wohnt jetzt wieder dort. Ignaz lebt für sich allein, ohne Familie. Wenn du durch sein Dorf kommst, wirst du mittendrin jäh vor einem Rohbau eines Schlosses stehen, Zinnen und Altane unverputzt, gemauert aus Betonquadern: der da ist Bauherr und -meister. Er werkt daran fast nur in unsrer arbeitslosen Zeit, im Winter, und wartet sehr auf seine Pensionierung, damit der Bau dann fertig wird. Der Ignaz *(er zeigt)* trägt ein Bruchband, beim Quaderschleppen tritt ihm oft der Darm hervor. Er fiebert in der Nacht und imitiert im Schlaf die Urwaldschreie. Sein Schloß steht neben einem kleinen Bauernhof und ist kaum größer; dahinter ist ein Kraut- und Rübengarten, darin ein Holzverschlag mit Strohsack, Bank und Sägespäne-Ofen. Den du hier vor dir siehst, knieweich vom Tag im Lehm und Grus, rotzschniefend, schleimhustend, der wird in seinem Dorf verehrt. Im Wirtshaus, neben den Sparkassen-Fächern, ist an die Wand beim Kartentisch ein Extrafach für ihn und seinen Bau montiert: dort kommt Kleingeld hinein und ergibt am Ende jeden Monats viel. Das Schloß ist seltsam: es verjüngt sich stark nach oben und gehört bei Vollmond zu dem hohen Pyramidenberg dahinter, als dessen Wiederholungsstein im Dorfbereich. Und wegen dieses Bilds allein baut der sein Schloß; sonst ist mit ihm nichts anzufangen. In der Baracke allerdings *(er zeigt)* klebt er sich jeden Montag auf die Bettwand neue nackte Weiber, in der Kantine *(er zeigt)* sitzt er jeden Mittag als erster bei der Mahlzeit, und steht als letzter wieder auf, und wenn am Abend, nach Sendeschluß und Lichtabschalten, irgendwo im Finstern hier *(er zeigt)* das große Gluckern spricht, ist das gewiß der Schloßherr, Heilige und Mann aus Übersee, der vom Kakteenschnaps trinkt und damit sagt: »Baustelle, Tal, Land, Erde unten, Sterne oben, hört her, ich bin's.« Aber halten wir die Spinner hoch, auch wenn sie nur so tun als ob: denn heute ist der letzte Abend hier. Halten wir die Wilden hoch, auch wenn sie bloß Gespenster sind: denn morgen sitzen wir zu Haus in unsrer Wohnküche und ziehen wieder ordentlich die Weckeruhren auf. *(Er dreht sich mit Ignaz einmal im Kreis.)* Großer Geist des Weltalls, komm heute einmal herab auf uns, entfalte dich im weiten Luftraum, laß uns ein wenig überm Boden schweben und lüpf als Spitze des Fallschirms das Innere unsrer Brust. Anderes Dasein, enthülle uns doch immer wieder und nicht gar so selten über den starrenden Antennen, hinter den schwankenden Baumwipfeln, inmitten der grünenden Gebüsche, im gläsernen Augengrund der Vorbeigehenden, zwischen den Rissen der hoch oben ziehenden Wolken dein farbenprächtiges Gesicht. Laß uns nicht allein mit dem künstlichen Vibrieren unsrer kurzlebigen Maschinen – oder es umgibt die Pompösität des Elektrischen schon bald als Finsternis das ganze Erdreich. Entrück uns nicht die guten lieben Dauerdinge weg in den Traum, sondern offenbar sie uns am hellen Tag, stell sie ins Sonnenlicht zu unsern Häupten, so fern wie nah, und gib uns manchmal frei dem Baum »Baum«, dem Fluß »Fluß«, der heilsam grünen Ebene, dem schimmernden Göttersitz-Bergrücken, der Wolke als dem Frühflugzeug, der Blume als dem Zufluchtskelch. Laß uns heute abend sein, die wir sind – die Menschen einer Urzeit, und bieg den Mond hinterm Gezweig, die Schneckenhäuser im Lehm und die Eisenstangen im Beton mit den Zungen in unserem Mund zur Einheit. Land, zieh deine Fahne und dein Wappen ein. Täler alle, streicht eure Hymnen, vergeßt eure Namen. Wege hierher, bergt euch ins Namenlose. *(Er geht die Bühne ab.)* Auch Großbaustelle hier, belebe dich gemäß dem alten Spruch zu namenloser Schlichtheit. Der Ort *(er zeigt)* heiße an diesem Abend nichts mehr. Er heiße »Wildnis«, und niemand sei da außer uns. Auch wir sind namenlos. *(Zu allen im Kreis.)* Antwortet als Unbekannte. Zeige niemandem deine Heimat. Vergeßt das Urteil und versäumt den Prozeß. Blickt nicht aufs Volk – da ist nichts mehr zu sehen. Bewegt euch ohne Musik – die Musik führt in die falsche Richtung. Dem Menschengehör entspricht nur das leiseste Rauschen. *(Die Stille der Verwandlung.)* Die Namen fallen ab. Wir sind im Freien. Jetzt können wir zu diesem Fleck neu »Erde« sagen. – Der da heißt ansonsten Albin. Er wohnt zu Haus in einem Keller, und die Oberen hier halten ihn für zurückgeblieben und stellen ihn Monat für Monat nur zur Probe ein. Im Wirtshaus hat sich einmal die Kellnerin zu ihm gesetzt, und *(zu Gregor)* du hättest da sehen sollen, wie er ihre Hand festhielt. Das war ein Streicheln! Er hat nicht bloß geweint, nicht bloß gelacht, sondern laut geschrieen und geschluchzt. Und zwischendurch zog er am Schürzenband mit einem breiten Grinsen. Und hier, zurück in der Baracke, war dann sein Ausspruch immer wieder: »Sie hat sich so lieb dazugehockt.« Selbstverständlich ist Albin kein Idiot. Er stellt sich nur stumm vor dem, den er nicht kennt: und meistens will er keinen kennen. In seinem Keller wohnt er aus Entschluß. Er hat ihn ausgebaut für einen Krieg. Es ist sein

Bunker, der auch für uns hier da ist. Vielleicht werden wir ihm bald dankbar dafür sein. Ich war schon oft dort unten, auch über Nacht. Ein Funkgerät steht in der Ecke, das rauscht und klopft und schwirrt, und manchmal kommen Stimmen übers Meer, von Insel zu Insel. Ein Vogel: die Dämmerung. Das Morgenrot ein Taubenschwarm. Der Keller ist sehr weitverzweigt und birgt nicht nur Konserven. An jeder Wand ist eine Nische für Steine und Fossilien, und jede Nische steht für eine andere Baustelle, und jedes Fundstück ist beschriftet – mit ganz verschiedenen als den genormten Namen. Andrerseits kennst du Albin als denjenigen, der nachts in den leeren Bahnhofshallen brüllt. Er ist der Mann mit dem Springmesser, der Kerl mit der Angeberhupe, der, der am Stehbuffet den Krug in die Vitrine schmeißt und dann den Kopf in den Bauch des nächsten besten rennt. Er ist der grinsende Killer mit dem Totenkopf. Er ist bei den politischen Veranstaltungen der Schutzmann in Uniform, der jeden in Zivil zum Feind haben möchte. Er läßt mitten im Frieden die Erdnußschalen knallen, als sei er der Freiwillige im Erschießungskommando. Albin ist ein Zuchthäusler. In jedem Raum kennt er den Notausgang. Er sitzt in den Pornokinos und stinkt. Er pflanzt sich im sonst leeren Omnibus gerade neben dich und pfeift auf der ganzen Fahrt durch seine Stummelzähne. Am Abend rennt er durchs Moor und stößt

Todesschreie aus. Er geht für seine gelähmte Mutter mit einem Netz einkaufen. Auf seinem Grabstein steht »Verschollen«. Er ist auch eine Frau: Wenn man ihn anfaßt, schreit er: »Nicht kitzeln!« Er steht beim Fußball im Tor als Spezialist für hohe Bälle und verpaßt alle niedrigen. Bei den Totenwachen ist er der einzige, der die ganze Nacht mit den Trauernden verharrt. Im Wald tritt er aus dem Spalt des hohlen Baumstammes. In der Karrenspur des Römerwegs steht er mit seiner Wünschelrute, und sein Hund hinterläßt den zähen Geiferschleim auf deiner Sonntagshose. Er ist der, der sich ins Unterholz verkriecht und sich einen Dynamitstab in den Mund steckt. Er ist blau und gelb. Auf seiner Zunge steht der Riesenstier, der ihn sprachlos macht. Er lag mit dir unter einem Herzen und erscheint dir in den Wolken als Gesicht. Sein letztes Bild ist schwarzweiß und oval, und sein zerdelltes Fahrrad liegt im Gras am Kilometerstein. Sein Zeichen ist der Muskelschwund am Schenkel *(er zeigt)* durchs lange Liegen im Spital, und hier *(er zeigt)* das steife Knie, ein Kunstfehler – die Ärzte halten nicht zu uns. Wer ist er? Er ist ein Rätsel. *(Zu Gregor.)* Und wehe dir, du sagst, wer er ist! Und wehe dir, du wagst zu schließen, wer wir sind! Ein Deutungswort – das Fest ist aus. Die Festlichkeit besteht darin, das Rätsel zu erfinden. Vielleicht sind wir die Ausgebeuteten, die Erniedrigten und Beleidigten, das Salz der

Erde. Aber wir stehen auch des Nachts oft auf. Wir pissen gern in den weichen Beton. Ab und zu sehen wir aus den Augenwinkeln das Kreisen der Sterne. Der Kellnerin rufen wir zu: »Komm her oder ich beiß dich.« Wir kochen uns die Suppe mit Suppenwürfeln auf den Elektrokochern. Am Abend setzen wir uns die Kassenbrille auf und studieren die Heilige Schrift. Wir küssen an den Gesichtern der unwilligen fremden Frauen vorbei. Wir binden uns die Krawatten um als Trauzeugen. Wir fallen vom Gerüst und brechen uns beide Fersen. Wir bekommen Entfernungs-, Gefahren- und Schmutzzulagen und schlachten uns ein Schwein für den Winter. Wir sind unsern Kindern gegenseitig die Taufpaten und füreinander die Sargträger. Aber wir sind keine Freunde. Wir liegen, jeder für sich, mit dem Gesicht zur Bretterwand und spüren dahinter nachtlang das Atmen des Kollegen, der nebenan wie wir mit dem Gesicht zur Bretterwand liegt. In der Früh schalten wir mit dem ersten Weckerklingeln ohne ein »Guten Morgen« Licht und Radio ein, rauchen in Unterhosen die erste Zigarette, kratzen die Eisblumen vom Fenster, fluchen auf Nordwind, gefrorenen Boden und Schnee und trinken den Nescafé. Ab der Mitte der Woche werden wir unruhig und versuchen zu onanieren, aber der Wind ist zu kalt hier draußen. An den Nachmittagen, die das längste am Arbeitstag sind, denken wir an unsern einzigen Freund, der verunglückt oder weg im Ausland ist, wünschen den Kollegen den Tod, werden bei den Handgriffen immer unaufmerksamer und sterben dann vielleicht selber. Zu Hause sind wir zu dumm geworden für unsre Kinder, vertragen bei der Ankunft ihre Stimmen und ihre Bewegungen nicht mehr, schicken sie vorzeitig schlafen, knieen dann auf dem Küchenlinoleum nieder vor unseren Frauen, lehnen die Köpfe gegen sie, erzählen von der in Ewigkeit nicht auflösbaren Feindschaft mit allen Obenstehenden und von dem endlosen Alleinsein, weinen uns aus und verschwinden ins Gasthaus. Einige Jahre müssen wir es noch aushalten, sagen wir täglich neu zueinander, einige Jahrzehnte. Einige Erdumtaumelungen stehen uns noch bevor, bis wir endlich unkündbar, vom Haus zum Baum, vom Baum zum Weg, vom Weg ins Dorf, vom Dorf zurück nach Haus gehen können. Einige Verkrüppelungen durch Unfall und Krankheit sind noch vorzuweisen, bis das Wort »Simulanten« nicht mehr fällt. Einige Jahre, einige Jahrzehnte. Aber wenn wir auch keine Freunde sind – wir sind Mitwartende, und wir behaupten uns immer wieder als Rätsel, und niemand von euch Meinungs- und Verhaltensplünderern sieht uns. Wir sind die Figuren, die in der Ferne über das Feld gehen, die Umrisse im Überlandbus, der durch die Schnee-Ebene fährt. Wir füllen mit schattigen Gesichtern den ersten bis zum letzten

Wagen der Untergrundbahn und verlieren einander nur in den Kurven kurz aus den Augen. Manchmal können wir die fernen Berge anreden, und manchmal sogar am Horizont im Blau zwischen zwei Gebirgen sein, als die Schlucht dort und die Felswände. Einmal am Tag sind wir vielleicht das Antwortwinken tief unten im Gras und die Sonnenlampe mitten im Dickicht, das Lichtnest in der Blutbuche ebenso wie das schützende Dunkel im Innern des Eibenbusches. Wir können immer wieder der Wurzelwind sein, der plötzlich von unten die Baumkronen hebt, das Rauschen der Tage und Nächte, das unendliche Grün, die stillstrahlende Meeresfläche, die im Sprichwort »Galene« heißt. Morgen werden wir vielleicht nichts sein. Übermorgen werden wir verscharrt sein und in den Geschichtsbüchern nicht einmal eine Anmerkung sein. Aber hoch oben die weißen Wolkengräber werden immer wieder unsere Gedenkstätten sein. Wir sind die Vaterlosen, die Freigesprochenen, die Heimatledigen, die Ortsentklammerten, die schönen Fremden, die großen Unbekannten, die sinnreich Langsamen, die Menschen aller Zeiten. So nützen wir die Kraft des Rätsels. Verkörpern wir heute abend das Handwerk, das wir tatsächlich erlernt haben und dessen Angehörige vormals sogar das »Volk« genannt worden sind: »Das Volk der Zimmerleute.« Lassen wir hier jetzt Ansager und Anschaffer aus dem

Spiel – bildet sich das Volk denn nicht von selber? Lassen wir es heute recht sein, daß alle unsre Bosse, anders als wir, nah genug wohnen und jeden Abend von hier heim können. Mögen sie vor ihren Häusern mit den angemaßten Arkaden den Rasenmäher auf und ab schieben, wie sie ihn gestern schon auf und ab geschoben haben. Seht, wie sie gerade im Moment gummibehandschuht draußen den Lehm von den Gummireifen waschen, während zugleich im Hausinnern die gummibehandschuhte Frau ihnen den Lehm von den Gummistiefeln wäscht. Gummigummi. Seht ruhig, wie der Herr Architekt mit der Flasche im Arm gerade dem Keller entsteigt und dem zu Besuch befindlichen Herrn Anwalt das Etikett mit dem Jahrgang zeigt, während die Frau Architekt nebenan der Frau Anwalt steckt, sie habe einen neuen Fleischer oder einen neuen Bäcker entdeckt, von denen der erstere den Rehrücken bratfertig spickt und der letztere mit seinen Gustostücken den speckigsten Fettsack entdickt. *(Die anderen spielen das zugleich.)* Gummigummi. Und seht ihre Kinder mit gesenkten Augen danebensitzen, die Lieblinge, die alles haben und nichts lieben, alles kennen und nichts ernstnehmen, von klein auf das Schöne sehen, hören, anfassen, lesen dürfen und rein gar nichts davon für wahr nehmen, bewundern, verehren können, und später den Roman oder das Drama ihrer ach so unglücklichen Jugend erzählen und die Lieblosigkeit bejammernd die Lieblosigkeit weitergeben und böse verewigen werden. Gummigummi. Seht das Fürstenehepaar nach dem Fernsehen oder dem Theaterabend noch eine Platte auflegen und sich von der knechtischen Musik den Schmeichelfetzen von dem Menschenmöglichen oder gar Großen vorflöten lassen, das sie angeblich vollbracht hätten, das sie aber nie, nie, nie wirklich tun werden, sondern sich immer wieder nur, bis an ihr Lebensende, von den tönenden Lakaien als die »Als-ob-Arie« in die Ohren blasen lassen werden. Gummigummi. Seht unsre Herrschaften dann die Treppe hinaufgehen, wie Trauergäste, denen Sarg und Trauer fehlen, und seht nun, wie die Damen und Herren, wie auch gestern und vorgestern schon, einander umarmen, ohne einander zu entbehren, ohne Tränen in den Augen, ohne Erschütterung, ohne Begeisterung. Seht, wie sie aufeinanderliegen, ohne einander zu erlösen. Seht, wie sie ans Ziel kommen, ohne hernach an einem Ziel zu sein. Seht, wie unbeschwert sie jetzt schlafen, ohne zu wissen, daß das gerade wieder einmal ein Abschied für immer war. Gummigummi. Ja, sie sind erkannt. Die Mächtigen sind heute die Entzauberten. Haben sie nicht schon lange keinerlei Geheimnis mehr? Sie laufen im Troß, doch kein Flußlauf begleitet sie. Sie glauben zu gehen, doch keine Wolke geht mit ihnen. Sie spielen und spielen, doch kein Spiel macht sie wieder zu Kindern. Sie feiern mit uns, aber niemand von uns feiert etwas gemeinsam mit ihnen. Nur wir Verletzten hören die Schönheit und sehen die Weite. *Sie* sind die Rätsellosen und die schallend Toten. Wie der Spruch besagt: »Das Böse erfindet sich schon bald seine Maschine« – so sind sie die Maschinen des Bösen. Heute abend ist hier ein anderes Fest! *(Er ruft zur Baracke hin.)* He, Mütterchen Baustelle. Heute keine Begleitmusik, keine künstlich verstärkten Stimmen, kein Flimmerzwerg, der uns die klare Nacht verzerrt. Komm: Wir feiern die Stunde der götterfreien Hände. Reiß dich los vom Kreuzworträtsel. Schütt den Schnaps in den Ausguß. Dreh den Kalender zur Wand. Stell für einmal den Fernseher ab und roll weg von den falschen Bildern. Geh aus der trinkwasserlosen Wolke und halt dir vom Leib die unfruchtbaren Wellen. Schieb die Antenne zusammen und breit auf den fahlen Totenschrein die weiße Häkeldecke mit der Inschrift: »Schluß mit dem Blaulicht in den Wohnzimmern.« He, Mütterchen Baustelle. Stopp die losen Mundwerke. Sorg für die Funkstille. Durchstoß die schalltote Phonwand, wag den Mondsprung weg aus der Taubstummblindheit und schweb her zu uns in die spielbereite, erfrischende, alles zurechtrükkende Hiesigkeit. *(In der Bauhütte hat nach und nach jedes Rumoren aufgehört. Wenn es auch nie mehr als ein Hintergrundgeräusch war, so ist die*

Stille jetzt doch deutlich. Darin das Rauschen der Elemente.) He, Mütterchen Baustelle. Da gerade Licht ist, betrachte dich. Such deine Augen. Ein Feld, ein Stern. Strahl weg die Leidensmiene, verwandle deine Stirn ins Diadem, leg dir das Schmucktuch um die Schultern, laß neu erzittern deine Schenkel, tritt aus dem Bau und schrei den ersten Schrei. *(In der Bauhütte geht das Licht aus. Dann erscheint auf der Rampe die Verwalterin, alterslos, ohne besonderen Schmuck verwandelt, ohne besondere Haltung strahlend schön. Sie lächelt mit geschlossenen Lippen, tut aber sonst nichts dergleichen, läßt sich nur still betrachten und betrachtet dabei selber etwas anderes.)*

Albin fängt überraschend zu singen an – kein regelrechter Gesang, sondern der Singsang, wie ihn jeder Mensch zuzeiten anstimmt, wenn es der Moment ist, nicht lauthals und doch mit Stimmgewalt.

ALBIN

Trat aus dem Loch in die Freiheit und trank im Keller ein Bier
es war nicht dort und es war nicht hier
und der Mann im Magazin sagte: »Nimm den Zug um Mitternacht«

und das habe ich dann gemacht
Kam an den Fluß im Morgengraun
da standen schon die elftausend Fraun
und die heilige Ursula sagte zu mir:
»Vor dem Delta im Norden erwartet uns alle das Tier.«
Schlief im Stehen und fiel dann um
der Buschauffeur nahm mir das krumm
Er sagte: »Bestell deiner Mutter einen Gruß«
und sein Gesicht wurde gelb wie ein Hahnenfuß
Lag im Gras und träumte vom Schnee
die schwarzen Hirschkäferzangen taten mir weh
und die Dame vom Bootshaus sagte: »Komm her«
Ihr Koffer war voll, und der Rücksitz war leer
Irgendwo verlor ich dann den Zusammenhang
kam an den Talschluß, und das Herz schlug mir bang
»Der Weg führt nur in einer Schleife zurück!«
schrie ich zum Himmel, und der Eisberg stach mir ins Genick
Sprang entschlossen zum offenen Fenster hinaus
Das Licht war nicht an und das Licht war nicht aus
und der Pilot in seinem Sessel drehte sich zu mir um
und sagte: »He Albin, geh nach Hause und tanz dort die Polka vom heiligen Sterbensdumm.«
Stolperte heimwärts und verlor einen Schuh
sprach zum Herzen: »Geh endlich unter und gib Ruh«

und wer ging auf dem Mittelstreifen und aß dabei Speck?
Es war der Vater Ignaz hier, und er packte mich auf die Schultern und trug mich weg.

Ignaz nimmt den Singsang auf und führt ihn weiter.

IGNAZ

Rannten durch den Dschungel bis an den Kanal
die Stadt war tief unten und ohne Portal
bogen ins gelbrote Südtor ein
und der Mann aus dem Westen sagte: »Hier kommt ihr nicht heim«
Schifften uns ein zu den Inseln hinter dem Wind
aßen den Flautenfisch und wurden blind
Die Frau in der Bar sang ein langsames Lied
es handelte von der »Kerze am Fenster«, und sie meinte uns damit
Ein Jahr oder so arbeiteten wir dann auf den Inseln im Strom
und bauten den andern das Telefon
Ein Kerl mit Hund stand dann in einer weißen Zelle am Meer
und schrie in die Muschel: »Ich liebe dich sehr«
Hatten genug von Übersee
doch der Transport ging statt nach Dorado in den schmutzigen Schnee

und ein Nebenmann flüsterte in der ewigen
Dämmerung:
»Ihr Brüder und Schwestern, taut mir den Boden
auf zur Beerdigung«
Im bösen Neumond am Wendekreis war wieder
Krieg
wir waren die Feldherrn, doch niemand zog mit
mit dem Löffel aufs Blechgeschirr klopften wir
und schrieen
der Mörderbär stank aus dem Rachen, aber ließ
uns ziehen
Es war das schöne Wasser, wohin wir dann liefen
und die Stimme des Vater Anton hier erscholl aus
den Tiefen:
»Kommt her, meine Kinder, und folgt meinem
Rufen!«
und aus dem grundlosen Strom blinkten die
Heimkehrkufen
Das Gestell, das er hinter sich herzog, war kein
böser Schragen
sondern ein viersitziger Leiterwagen
der Mann mit dem Bleistift saß vorne am Ruder
fuhr freihändig und schrieb in die Luft: »Ich bin
euer Bruder.«

Anton nimmt den Singsang auf und führt ihn weiter.

ANTON

Am dreifachen Kreuzweg saß schon wieder ein
Mann
er hockte unter dem Milchstand und hatte nichts
an
Er jammerte laut: »O ihr drei Straßen und du
abgelegene Schlucht!«
Und wir klagten noch lauter: »O Flüsse von
Babylon! O windige Höhen! O Engelsbucht!«
Jahrelang ernährten wir uns von Brot und
gelblicher Marmelade
doch eines Abends stand am Himmel das Sinnbild
aus Jade
Wir fuhren ins »Translux«-Kino und nickten
schon beim ersten Kuß ein
flogen mit dem schwarzen Falken in die
Fastebenen, und es begann dort zu schnein
Rotgepunktet die Gesichter vom
Eisflockensturm
bestiegen wir am grünen Donnerstag den
Weißglockenturm
doch da schwangen statt dem Klöppel nur die
Strähnen vom Heu
und knisterten stimmlos »Oi moi, oi moi«
Die Dinge wurden böse und immer böser
das giftgrüne Nordlicht als Übelauslöser
wir blickten hinaus durch die Hintertür
aber da war niemand – nicht einmal wir

Verloren den Gesichtsschutz und klebten mit den
Lippen am kalten Eisen
und niemand, o niemand, konnte uns von den
Rohren wegreißen
selbst die hohe Frau nicht mit dem Psalter:
was sie sang, flatterte uns in den Ohren als
Dämmerungsfalter
Der Mann mit dem Lanzenstich stand da und aß
eine Banane
um seinen Hals eine gerissene Liane
und niemand verstand, was er predigte
bis das Geröhre der Betonmischmaschine ihn
klanglos erledigte
O sahen doch niemals die gute Seite der Stadt
ahnten nicht, was sie jenseits der Pagoden des
Schreckens für Weiten hat
die schönsten Rosen rochen nach gepanschtem
Wein
und die Heimfahrt verschoben auf Sankt-
Nimmerlein
Da erschien *(er wendet sich an die Verwalterin)*
das Mädchen vom Autobahnkreuz im orange-
gelben Südwester
auf dem geschrieben stand: »Ich bin's, eure
Schwester«
und die Leitschiene entlang kam ihr Blues
herüber:
»Ich bin die Blume Je-länger-je-lieber«
Da bestiegen wir am Nordstern die Straßenbahn

und kamen zwischen warmbraunen Torfwasen an
sahen das Haus der aufgehenden Sonne in den
Himmel ragen
und hörten die Stimme des Mannes im Moor:
»Nicht jeder kann alles – aber jeder kann alles
sagen.«

Die übrigen wiederholen: »Nicht jeder kann alles
– aber jeder kann alles sagen.«

Die Verwalterin nimmt den Singsang auf und verwandelt ihn psalmodierend in eine Art Hymnus, in den die übrigen dann einfallen:

DIE VERWALTERIN

Sieben Jahre oder mehr
werde ich noch in der Fremde sein
bis ich in sie eingeboren bin
Nicht ungeduldig werde ich sein beim Zählen
sondern mit Erleichterung auch selber eine Zahl
Auf und ab gehend
werde ich zurück in mein Land gehen
Wer die Welt im Schmerz entzweibrüllt
erhält vom Fluß die Antwort
Schlafwandelnd werde ich ankommen
und das Wetterleuchten ohne Donner
wird mir mein Maisfeld zeigen
wie es talweit raschelt

Pflanze für Pflanze dasteht
und wieder im Dunkel verschwindet
Ich werde auf der »alten Straße« gehen
wo kein Auto fährt
und der vom Blitz gespaltene Bastardbaum steht
Niemals wird kommen der Tag
er ist schon da
An der Schwelle zum Dorf werde ich innehalten
und lauschen
und atemlos mich zu meinem Volke erweitern
und ohne Laut wird das Wetterleuchten mir meine
weißen Mauern zeigen
wie sie dastehen
verschwinden
und im Dunkel nachflimmern
Schon längst bin ich da
wo angeblich noch niemand gewesen ist
In der Mitte des Dorfs wird es windstill sein
und noch warm von dem heißen Tag
kein Thingstein wird mich erwarten
aber dafür der Kirschbaumstamm mit den
jahrzehntdicken Kinoplakaten
vor dem rauschenden Laub werde ich da auf dem
ganzen Erdkreis stehen:
Wer sagt, daß die Kilometerpauschale
unvereinbar sei mit der Sternenspirale?
In der Finsternis wird der Feierabendmann mich
mit der selbstverständlichsten aller Stimmen
begrüßen

und sagen: »Tausend Jahre sind wie ein Tag«
doch ich werde mich verleugnen
und ins nächste Dorf weitergehen:
Wem meine Art Wunde im Brustinnern brennt
dem hilft schon das Baumblattpflaster in
Augenhöhe
Wetterleuchten wird Blitzen
dem Blitzen folgt Donner
doch ich werde gerade mit den ersten Tropfen das
gelbe Gasthaus erreichen
Die blonde Kellnerin wird mich aus dem Elend
längs des trockenen Arkadengestades
in lusterhelle Zimmer der Tröstungen führen
und wir werden zittern mit den Köpfen von
Blumen
und zwinkern mit den Augen von Tieren:
Der Entdecker wird Schoß
und der Schoß wird Entdecker! –

ALLE

Wann wird der Mann mit der Schrift mir mein
Recht wiedergeben?
Wann werde ich wünschen können
statt siegen zu wollen?:
Denn es gibt nur den *Namen* Victoria!
Wann werden die Stadt-Lichter kein frostiges
Geschäfteglitzern

sondern Nachbarzeichen sein?:
Denn es gibt nur den *Namen* Victoria!
Wann wird der Sänger mit der heiteren Stimme die Regenflut stoppen
und das Blutwallen von Schuld und Verdammnis
aus der Menschenbrust in die Vorzeit verweisen?
Wann werden die episodisch bimmelnden Glocken als Ewigkeit dröhnen
und es wird auf dem Erdkreis die eine Menschenheit leben?
Wann wird meine Erstarrung sich zu Erschütterung lösen
und ich werde mit den andern endlich vor meinem Goldgrund stehen?:
Denn es gibt doch den Namen *Victoria*!

Anton, Ignaz, Albin und die Verwalterin wenden sich ab und ziehen über die Rampe förmlich in die Baracke ein, wo es dann dunkel und still bleibt. Hans und Gregor stehen im Vordergrund und betrachten den sich bauschenden Baustellenvorhang.

GREGOR

Das Fest ist aus?

HANS

Das Fest gilt.

GREGOR

Wir haben über vieles noch nicht gesprochen.

HANS

Komm zur nächsten Baustelle. Sie wird nicht mehr auf der Schattenseite sein wie hier, sondern nach Süden gehen, und das Tal wird weniger windig sein. Aber vorher komm nach Hause – man fragt oft nach dir und beklagt sich, daß du deine Leute im Stich gelassen hättest. Dort wird das größere Fest sein, und alle *(er zeigt auf die Baracke)* werden da sein. Es soll das Fest von uns Lebenden und unsrer Toten, das Fest der Entscheidung werden.

GREGOR

Ich habe dir am Nachmittag heimlich bei der Arbeit zugeschaut. Du warst fast immer allein, und jede Stunde kam der Polier und hat dich mit

Schleifmaschine, Trockengebläse oder Zementstampfer woandershin geschickt. Du warst bei der Sache, hast in dich hineingeschmunzelt – aber dann wieder hast du Ausschau gehalten wie nach einem Beistand. Von weitem warst du ein alter Mann.

HANS

Ich bin hier der sogenannte »Springer«. Den ganzen Tag über hetzt man mich von der einen Verrichtung hier zu der andern Verrichtung dort. Ich bin der Springer, weil ich für alles einsetzbar bin, und weil ich kräftig genug bin, das meiste ohne zweiten Mann zu tun. Springer zu sein, bedeutet, außerhalb des Trupps zu sein, und sich von früh bis spät hinauf und hinunter, kreuz und quer, aus der Hitze in die Kälte, von einer Maschine zur nächsten zu bewegen. Hast du gesehen: Wir arbeiten kaum mehr mit Werkzeugen – nur noch mit Maschinen? Diese Baustelle hier ist groß, und die kommende wird noch größer sein. »Das Volk der Zimmerleute« hießen wir früher deswegen, weil ein einzelner Mann in diesem Handwerk für fast alles zu schwach war – für die meisten Griffe mußten gleichzeitig mehrere anpacken. Was ich jetzt tue, ist genauso schwer, aber es ist keine Kunst mehr. Ich arbeite gern; ich halte es sogar ohne Arbeit nicht aus, werde zappelig, und unernst; aber einmal am Tag möchte ich doch verschwunden im Lehm, Gesicht im Lehm, Lehm im Lehm sein. Dann kannst du mich im transportierbaren Aluminiumabort hocken sehen, den Kopf zwischen den Knien, über die längste Zigarettenpause hinaus, selber etwas zum Abtransportieren. Einer muß der Springer sein, und ich bin es freiwillig. Eigentlich sind wir alle hier *(er zeigt auf die Baracke)* nur noch Springer. Nächste Woche werden wir ins Baulos »Zwanzig« überspringen. Keine Probleme zu lösen: wir können alles, was wir brauchen, und lernen nichts mehr. Oft habe ich eine Sehnsucht, noch etwas dazuzulernen. Wenn ich in den Tälern unsere fertigen Bauten sehe, merke ich, daß daran etwas fehlt: etwas, das früher vielleicht eine gewisse Krümmung im Dachstuhl war – nicht als äußere Verzierung, eher als eine feine Linie hier auf den Rippen. Ich schäme mich ganz und gar nicht dieser neuen Bauten, bin sogar ein bißchen stolz darauf, daß ich dabei gewesen bin, aber ich vermisse doch jedesmal eine Kleinigkeit – die die Krönung wäre. Es fehlt die Rundung! Ja, es fehlt die Kunst. Wir waren seit je die Sklaven. Zwischendurch durften wir kurz »die Arbeiter« sein. Jetzt sind wir wieder die Sklaven – alle hier, auch die Architekten, auch die Wissenschaftler, die den Baugrund prüften, auch der Minister, der das

Bauwerk demnächst einweihen wird. Keiner von uns hat eine menschenwürdige Tätigkeit. Zu Hause, wenn alle schon schlafen, sitze ich oft im Dunkeln, denke an die verstorbenen Eltern und möchte dann noch etwas anderes können! Ja. *(Er zeigt den Ehering.)* Ich sage dir: Wenn ich all die Jahre ohne Frau hätte sein müssen, würde es mich nicht mehr geben. Ich bin nicht sicher, ob es die große Liebe ist, aber wenn ich in ihrer Nähe bin, empfinde ich manchmal Ehrfurcht – ja, Ehrfurcht. Ich, der Prolet, der Pendler, der Springer, bete sie, die Huldreiche, mich Begütigende, Tröstende, an. *(Er läßt den Ring funkeln.)* Und das Kind ist meine einzige Freude. Du sollst wissen, wie einsam ich bin. Niemand, an den ich mich wenden kann – nicht einmal an mich selber. Und das ist die Verlassenheit! Geh noch nicht weg. Bleib hier über Nacht. Im Nebenraum ist jemand, den ich nicht höre und den ich nicht sehen kann. Er ist nicht ruhig, sondern lautlos. Er ist mit nichts beschäftigt, als mich zu belauern. Er träumt nicht, sondern ist leer. Und er ist schwach, kalt und böse. Lautlos, lauernd, leer, schwach, kalt, böse. Die Leere ist manchmal so böse hier. *(Er zeigt rundum.)* Laß mich nicht allein.

GREGOR

Meinst du wirklich *mich*?

HANS

Ich meine *dich*.

3

Sophie vor dem Vorhang, Gregor kommt dazu.

SOPHIE

Weißt du, daß ich früher in dich verliebt gewesen bin? Ich hatte dich nicht nur gern als meinen Bruder – wenn du erschienst, wurde ich aufgeregt, als seist du der Einzige. Du warst der Mensch, nach dem ich mich sehnte: dem ich glauben konnte. Damals ahmte ich deine Schrift nach und zeichnete sogar deine Zeichnungen ab. Bei jeder Heimkehr tratst du als Tyrann ins Haus, und die andern hatten Angst vor dir. Nur ich überhörte und übersah deine Herrscherlaunen, verstand sie, und du warst mir dankbar dafür. Der ersten Freunde, die ich hatte, schämte ich mich vor dir, ich erzählte dir von ihnen wie von unernsten Kindern. Warst du einst nicht, sooft die Eltern fern waren, als der für uns zuständige Hausherr aufgetreten? Auch später spürte ich, daß du mich auf immer so seelenruhig, ohne Leidenschaften, genügsam und bis ans Ende mit kleinen lieben Dingen beschäftigt sehen wolltest, wie eben eine liebe kleine Schwester. So verheimlichte ich dir meine Wünsche und Ziele, hatte dabei das Gefühl, dich zu betrügen, und hörte zugleich auf, in dich verliebt zu sein: dein

Bild zittert in mir nicht mehr, dein Anblick macht die Augen nicht mehr warm. Ja, ich habe jetzt ein Ziel. Es ist ein Wahrtraum, und ein solcher gilt! Zeig mir den, der behauptet, weise geworden zu sein und verzichtet zu haben, und ich zeige dir den Meister der Ausreden. Jeder Traum, den einer für sich verwirklicht, hilft doch vielen anderen. So nimm die Schwester ernst und hilf ihr den eigenen Bereich zu schaffen. Auch ich habe ein Recht. Der winzigste Laden ist ein Zentrum, und würde ein freundliches Licht ausstrahlen – und warum eines Tages nicht auch für dich? Ich sage dir: es ist schön, als sein eigener Herr einen Raum zu betreten! Und hast du uns Geschwistern nicht immer wieder vorgeworfen: »In eurem Leben fehlt die Entscheidung!«?

GREGOR

Wie wirst du sein als Geschäftsfrau? Ich sehe dich schon in Maske und Kostüm. Ich höre das Klickklack deiner Schuhe, mit dem du jeden auch nur zufällig Eintretenden als Kunden anvisierst. In deinen Augen wird ein falscher Glanz sein, in deiner Stimme eine falsche Melodie, in deinen Hüften eine falsche Eleganz, in deinen Beinen ein falscher Tanz – von Kopf bis Fuß die falsche Energie. Einmal bin ich an deinem Arbeitsplatz vorbeigegangen und habe dich in Strümpfen im Schaufenster hocken sehen, mit den Stecknadeln zwischen den Lippen. Da ist jemand meinesgleichen, habe ich gedacht. Kein künstlicher Schwung war an dir, deine Handgriffe waren langsam, machten Umwege, geschahen nebenbei, als tätest du deine Arbeit nicht für irgendeinen Chef, sondern für mich, den auf der Straße Vorbeigehenden. Du brachtest Freiluft in das Schaufenster. Zu Hause würdest du dann wirklich zu Hause sein; im Kino im Kino, im Gras im Gras; dein Sonntag würde der Sonntag sein. Mit den Zehen in den Strümpfen warst du Fleisch von meinem Fleisch und gehörtest zur Menschheit, zu der du, zur Vorführdame verschminkt, nicht mehr gehören wirst. Dein besonders aufrechter Gang wird nicht der Tanz der Freiheit sein, sondern das Produkt eines Schnellkursus. Vorn im Geschäft wird der Schmeichelklang herrschen, und hinten der Kasernenton. Vielerlei wirst du anbieten, und nichts mehr gern haben. Statt zu sehen wirst du nur noch abschätzen, und dabei wirst du Männer nicht mehr von Frauen unterscheiden können, Kinder nicht von Erwachsenen, das Gute nicht vom Teuren. Dafür wirst du eine Schreckschußpistole sofort von einer richtigen Pistole unterscheiden. Dein Zeichen, das wird der klirrende Schlüsselbund zwischen deinen kalten Geschäftsfingern sein, der von scharfkantigen Schlüsseln starren wird und selber eine Waffe sein wird. Auch im Wald oder am Meer wirst du statt dem Rauschen bloß das Kassenrasseln hören. Deine Heimat wird das Handelsregister sein, und dein Name »Geschäftsinhaberin« wird schon bei Lebzeiten ein Grabsteinname sein. Nie mehr wirst du einen Schweißfleck unter der Achsel zeigen, erröten oder am Klosett einen Brief lesen. Mit dem Annageln des Firmenschildes wird es mit dir aus sein, und fliegen wird an dir nur noch die künstliche Frisur. Was treibt dich, die böse Legion all der lebenden Toten zu verstärken und eine Unperson zu sein? Was liegt dir daran, als bloße Parfumwolke vorbeizugehen, kurz nach Fäulnis zu stinken und schon nichts mehr zu sein?

SOPHIE

Du bist nicht nur ungerecht, sondern auch undankbar. Erinnerst du dich denn nicht mehr der Augenblicke, da du von einer Straße in ein Geschäft getreten bist als von der Kälte in die Wärme, vom Krach in die Stille, von der Nässe in die Trockenheit, aus deinem Eigendunkel in ein öffentliches Licht, aus der zitternden Privatsekunde in die Ruhe von Jahrhunderten, aus dem drohenden Nichts in einen sicheren Raum, aus dem Stummheitsdruck in die lindernden Formen von Kauf und Verkauf? Waren nicht die Kleideranprobierkabinen Orte, wo du dich umhegt fühlen konntest und ein frisches Bild von dir bekamst? Hast du die schöne Frau im Hintergrund vergessen, mit der hellen runden Stirn, die auf einem Hocker saß und wartete, aber nicht auf einen Kunden? Und es war doch der Kaufmann, der im Magazin sein Kind in die Luft warf und schrie: »Ich liebe dich.« Woher deine Gewißheit, ich könnte ein Mensch sein nur in der Abhängigkeit? Ja, schon immer hast du die Leidenden, die Schicksalsergebenen im Licht der Verklärung als die eigentliche Menschheit gesehen. Aber weißt du denn nicht mehr, wie ich manchmal abends nach der Arbeit weinend im Garten hin und her lief und nur noch unter die Erde wollte? Erinnerst du dich, wie du da schworst, mich aus der Hölle herauszuholen? Hast du meine furchtbar leisen Antworten auf das bis auf die Straße schallende Anherrschgebrüll der Chefs und Vertreter der Chefs vergessen, meine angstrunden Augen vor der täglichen Kassenabrechnung, mein An-die-Wand-gedrückt-Sein vor dem Sohn des Chefs? Wisse jetzt: das Dasein von meinesgleichen ist immer noch menschenunwürdig – nicht weil es ein Dienst ist, sondern weil der Dienst nicht der richtige ist –, und dein verklärendes Lied auf uns hältst du zu Unrecht für eine Pflichterfüllung. Aber ich kenne dich: du bist kein Schwärmer. Du bist ein Durchschauer, nüchtern wie nur je einer. Schon als du ein Kind warst, hat nicht nur die Familie Angst vor deinem Blick gehabt, sondern das ganze Dorf. Viele haben sich bei den Eltern beschwert über die Weise, wie sie von dir im Vorbeigehen angeschaut worden sind. Du bist ganz und gar nicht blind für die andern. Du siehst sofort jedes Elend. Dein Problem ist, daß du ein fremdes Elend als dein eigenes empfindest. Und da du seiner nicht Herr wirst und andrerseits darüber nicht tot umfallen kannst, geschieht zu deiner eigenen Rettung die Verklärung, womit du dann auch uns andre für gerettet hältst. Du hast den liderlosen Blick und zugleich die Kraft zur Verklärung. Ja, du hast nicht die Schwäche, zu verharmlosen, sondern die Kraft, zu verklären. Du bist, wie unser Sprichwort sagt, beseelt mit dem guten Willen zum Scheine. Aber das genügt nicht. Du bist auch ein Helfer. Immer wieder bist du doch jemandem beigesprungen. So selbstverständlich war dein Eingreifen, daß du selber dabei ganz unsichtbar bliebst. Du hast zwar in der Regel momentlang gezögert – aber warst du danach nicht der Freie? So zögere jetzt nicht. Ja, du kannst der Helfer sein, und das erst gibt dir ein Daseinsrecht. Denn immer wieder warst du andrerseits der Erstarrte. Nur ein Handgriff wurde von dir verlangt, doch du bliebst unbewegt und wurdest schuldig. Und vor Schuld erstarrtest du bei der nächsten Gelegenheit wieder. Der Helfer, das bist du – nur das. Nur als Helfer bist du vollkommen-wirklich. Wenn du das jetzt versäumst, wirst du auch später unfähig zur Verklärung sein. Deine beste Arbeit wird keine Arbeit mehr sein, dein Leben wird Unlust sein, und du wirst der Drache sein. Ich sage dir: ich werde dich nicht in Ruhe lassen. Du wirst der Helfer sein, oder du wirst nichts mehr sein. Alles, was du tust, wird unwirklich sein, und ich werde deine dunkle Schwester sein. *(Sie geht zur einen Seite ab.)*

GREGOR *(allein vor dem Vorhang)*

O Fluß im Nebel. O Herbstfarben am anderen Ufer, die mir einmal bedeuteten, keine Angst zu haben. O fernes Meer. O vereister Brunnen. O Felsen der Vorzeit. O Morgendämmerung mit den Regentropfen im Wegstaub, wo ich vorzeiten mit jemandem ging und dem Dasein am nächsten war. O Erde, die man einst das Reich des Lichtes genannt hat. O Sommer und Winter, Parks und Plätze, Giebelfelder und Holzbänke, Laubengänge und Bahnhöfe, Feuerrauch und Nachtflugzeuge, Stille und Dröhnen; – Fluß, dessen Antwort ich immer wieder wurde, Fluß, auf dessen Glänzen und Rauschen immer wieder die Antwort »Ich!« kam – ach, weite Welt! –, und überall dazwischen das Geklapper, das Gerassel, das Gewimmel, das Gekurve, das Geklicke, das Getuschel, das Gerempel, das Gewetze, das Gekritzel, das Geschwitze, das Geschiebe, das Gerede, das Gescharre der Geschäfte; das Gemauschel der Geschäfte, das Geheuchel der Geschäfte, das Gemeuchel der Geschäfte, der böse Unfrieden der Geschäfte, der ewige Skandal der Geschäfte, das Verdammte der Geschäfte. Ich will zur Gerechtigkeit gehen! *(Er geht langsam zur anderen Seite ab. Einmal bleibt er dabei stehen und sagt:)* Ich hatte einen Traum: Ich sah das von der Gefahr befreite Grundstück mit dem blauen Himmel darüber und dachte: Ich habe ein Stück Land gerettet. Ich habe ein Stück Himmel gerettet.

4

Das zweite Bild. Leerer Platz vor einer Dorffriedhofsmauer mit einem offenen Torbogen. Im Torbogen keine Grabsteinumrisse, nur leuchtendes Grün. Hinter der Mauer die Wipfel zweier schmaler dunkler Bäume, Fichten oder Zypressen. Zur einen Seite des Tors, außen an der Mauer, eine Steinbank mit einer deutlichen kleinen Mulde. Die Szenerie ist hell und bleibt so. Es ist das Licht eines »stillen Fests«, wie etwa Allerheiligen, nur ohne bestimmte Jahreszeit. Glockengedröhn. (Die Glocke hat etwas von einer riesigen Gitarre, die über das ganze Land schwingt.) Eine alte Frau im einfachen dunklen Festkleid kommt durch den Torbogen näher, dreht sich im Gehen immer wieder um sich selbst und bleibt vorne stehen. Sie schaut und lauscht. Die Glocke verklingt.

DIE ALTE FRAU

Soll ich also wieder weg von hier, vom einzigen lieben Ort weit und breit? Gleich hinter der Kreuzung dort vorn beginnt die Grenze, hinter der es nichts mehr gibt. Nach der Brücke gehen drei Wege auseinander. Der erste führt bachaufwärts in die Schlucht, wo früher die Mühlen standen.

Jetzt sind davon nur noch die dachlosen Mauern übrig, die Mühlsteine liegen weiter unten im Tal vor den Häusern, und aus den Löchern in der Mitte wachsen Blumen, die keine Blumen mehr sind. Am Eingang der Schlucht leuchten noch die hellroten Himbeeren, aber weiter drinnen, sowie es dann lichtlos und feucht wird, wächst nur noch fruchtloses Buschwerk, oder die Beeren werden nie reif, oder die weißlichen Würmer hängen daran. Das letzte Hochwasser hat ein paar Stege weggerissen, die kein Mensch wiederherstellen wird. Aber vielleicht wird dort eine Zuflucht vor dem nächsten Krieg sein: immerhin gibt es ein paar eßbare Pilze, das Wasser ist rein, im Bach liegen Feuersteine, in den Gebüschen stehen verborgene Laubhütten, hinter manchen Felsvorsprüngen wird es sonnig und still. – Der zweite Weg ging früher bachabwärts durch die Felder. Das Land ist immer noch bebaut, aber statt der einzelnen Äcker steht da nur noch ein großes Feld, bepflanzt mit Viehfutter, das nicht mehr »Mais« heißt, sondern nach den Türmen genannt ist, in denen es vergoren wird. Es wächst so hoch, daß das Dorf dahinter nur im Winter sichtbar wird. Immerhin riecht dieses Silozeug manchmal süß wie der alte Mais, und die weichen Blätter sind zurückgebogen und knicken sich und fallen hintüber, hingegeben wie die Sprecherin hier *(sie zeigt auf sich)* ach leider viel zu selten damals in ihrer Jugend, und hinter den Blättern verborgen leuchten die Kolben durch die Hüllen und Binden, mit den goldblitzenden Haarkringeln: Lazarus, steh auf – Lazarus, zeig dich – Lazarus, komm zu mir. – Der dritte Weg ist die Straße ins Dorf, und wo einmal die verschüttete Milch auseinanderrann, schillern im Teer die Ölflecken, und von allen Geräuschen ist dort das Geräusch einer Fahrradklingel noch das anheimelndste. Ich bin es, die ihr in der Nacht da gehen seht, am Wegrand, der kein Wegrand ist. Und wo ist das Dorf? Wo die Mitte war, ist jetzt ein Schild aufgestellt: »Dorfmitte«. Auch die ehemaligen Feldwege sind inzwischen alle beschildert und heißen nach den reichen Zugezogenen, die dort ihre Landhäuser haben und die großen Steuern bezahlen. Von der Gemeinde gibt es nur noch das Amt, und das Gebäude hat die gleichen Geschäftsfenster wie nebenan die Sparkasse. Dafür wird jährlich teilgenommen am Wettbewerb um das Schönste Dorf, und die Zuständigen betrachten mit bösem Blick beim Blumengießen, Heckenstutzen und Fahnenstangenputzen meinen vorstehenden Unterrock. Nur nach Mitternacht rauscht manchmal das Wasser, auch wenn es bloß der Kanal ist, die Äpfel fallen ins Gras, ein Blätterschwarm verdunkelt ein Scheinwerferweiß, die Sterne erstrahlen am Himmel, und ich sehe dort oben den anderen Weg. Das Geklirr vor dem Fenster ist dann kein Fremder, sondern mein Nachttier, das in den bereitgestellten Eßteller tapst. Aber so ein Hausfreund genügt natürlich nicht: ich habe trotzdem Angst, allein, wie ich bin, und tot, wie rundum alles ist. Im Dorf die Mopeds, zu Hause die Fliegen. Ich spüre dann ein Reißen in den Gliedern, das in den Kopf hinaufsteigen und mich verrückt machen wird. Man hat gemeint, ich hätte keinen Grund, mich zu beklagen, mein Zimmer sei geheizt, und ich hätte ausreichend zu essen. Darauf antworte ich: Ich beklage mich nicht, ich *klage*. Sooft ich von hier an die Kreuzung mit den drei Wegen komme, möchte ich mich in das Grasdreieck dort legen, als wäre dieses außerhalb des Tors hier mein einziger Schutzort. Er ist alles, was von dem Dorf geblieben ist. In meiner letzten Stunde möchte ich dort hingeführt werden und in dem tiefen Gras verschwinden, wie der blinde König in der Sage. Vielleicht hat es das Dorf gar nie gegeben. Als ich ein Kind war, ließ man mich in der Schule einen ganzen Vormittag lang auf einem Holzscheit knieen. Damals ist mein Herz zerfallen. Später hat mir jemand einen Heiratsantrag gemacht. Ich bin dabei entsetzlich erschrocken, weil ich mir vorstellte, ich würde ein Kind gebären und müßte daran sterben »Wollen wir nicht heiraten?« – »Jaja«, habe ich nur gemurmelt, und danach wurde nie mehr davon geredet. Wie fremd ist hier alles geworden, ich weiß nicht, ob seit dem letzten Erdbeben, oder dem letzten Krieg, oder dem Knieen damals auf dem Holzscheit. Wie wertlos ist das Dorf. Wie weißgold renoviert ist die Kirche. Wie möchte ich Tag für Tag die Worte meines Gottes hören, statt immer nur die gelben Plastikbälle springen zu sehen. *(Wie in den Boden sprechend.)* Auf welchen Lieben noch richte ich meinen Blick und freue mich? *(Sie richtet sich auf.)* Ich möchte dieses Dorf verfluchen und seine Bewohner, die nur noch auf das Läuten der elektrischen Kegelbahn hören, ich möchte ihre Mäuler verfluchen, die wie Sparbüchsenschlitze sind, in die nur hineingesteckt wird, wo aber nichts mehr herauskommt. Ich möchte ihre falschen Trachten verfluchen, mit den gipsweißen Strümpfen, den ledernen Sturmriemen vor der Brust und den Hirschhornknöpfen, groß und löchrig wie Totenschädel. Ich möchte auch die Nachkommen verfluchen, die schon auf ihren Kinderbeinen dastehen wie Metzger und dreinglotzen mit den Augen von Gemetzgerten. *(In den Raum.)* Euch Kadavern fehlt nur noch das deutliche Krepieren! Nicht Menschen seid ihr, sondern deren Gegenteil: die Seinsvergessenen! Vielleicht gibt es keine Hölle, aber es gibt den Fluch!

Gregor und Nova kommen vorn auf die Bühne. Die alte Frau geht zur Seite.

Hier ist es gewesen. Hier ist es. Das ist ein eigener Ort, der nicht mehr zum Dorf gehört. Die Strecke zwischen beiden bin ich oft nicht nur gegangen, sondern gerannt: heimwärts am Ostermorgen mit dem brennenden geweihten Baumschwamm, bestimmt für das Herdfeuer zu Hause, der mir dann knapp vor dem Ziel verkohlt vom Tragedraht fiel, worauf ich ein letztes rauchendes Stück im bloßen Handteller über die Schwelle trug; herwärts in einem anderen Morgengrauen, mit dem Auftrag, für einen verstorbenen Angehörigen die Glocke läuten zu lassen. Ich habe eine Zuneigung zu diesem Fleck, der nicht das Dorf ist, wie zu keiner noch so verlockenden Fremde. Ich bin geradezu stolz, in der Nachbarschaft geboren zu sein, und es bedeutet mir etwas, in den hiesigen Matrikeln zu stehen. Als ich vorhin von weitem die Mauern und die Baumspitzen wiedersah, wollte ich schon angekommen sein. Ich flog. Alles flog. Ich sah den Ort als Reich der von allem Heimlichen, allem Lokalen, allem Stimmungshaften, allem Typischen, allem Panischen gereinigten Farben und Formen. Das Grün hier erlebte ich als das Herzland allen Grüns und den ganzen Bereich als eine Art fortdauernden Altertums, wo jeder verschieden ist und doch alle *eine* Stimme haben, und der Name des Ortes war: Das HIERGELÄNDE. Als dann die große Glocke dröhnte, empfand ich, wie sie zugleich gehört wurde von einzelnen auf den Feldern, in den Gräben, auf den Steilhängen, auf den Dachfirsten, in den Kammern, auf den Traktoren, und verstand den Sinn des Geläutes; und nicht »Ich« war da, sondern »Ich und das Dröhnen«. Verrate dieses Dröhnen nie, dachte ich. Auch um Orte spielen sich Dramen ab: vielleicht sind das die letzten Dramen, die Dramen der Dramen. Ja, dieser stumme Friedhof hier ist mein Ausgangspunkt – meine Kultur. *(Er tritt an die Steinbank heran und zeigt auf die Mulde.)* Schon immer hat mich besonders diese Mulde beschäftigt. Es gibt sie seit Jahrhunderten, niemand weiß, wozu sie bestimmt ist, und doch steht sie mir für den ganzen Ort. So lang bin ich schon von hier weg, und immer noch unterläuft es mir, daß ich den Ort als meine Adresse angebe, und wenn ich ihn auf einer Landkarte sehe, erwarte ich unwillkürlich, ihn dort eingezeichnet zu finden in der Form dieser kleinen Mulde hier. *(Nova geht durch den Torbogen ins Friedhofsinnere und verschwindet dort. Die alte Frau nähert sich Gregor, geht in langsamen Kreisen um ihn herum und betrachtet ihn von allen Seiten.)*

Er ist es. Ich brauche gar keine Narben zu suchen. Er ist älter geworden, und immer noch der, der er war. Kaum daß es zu regnen anfängt, kommt er mit dem Stuhl aus dem Haus, setzt sich unter den Dachvorsprung und schaut mit verschränkten Armen dem Regen zu. Bei Sturm rennt er in den Wald und hockt sich in die Wurzelmulden einer Fichte als Hörer des Wipfelsausens. Er ist der Arbeitsscheue und der Arbeitswütige. Er ist der Wehleidige und der Schmerzverbeißer. Er ist der stumme Mitfühlende und der scheppernde Auslacher. Er ist die Freude und der Kummer seiner Eltern. Er ist der, der das Fragen versäumt, und der, der das Fragen nachholt. Er ist unser Anrainer und unser Mann in Übersee. *(Zu Gregor.)* Sei gegrüßt, Säugling mit dem arglosen Blick, Kind mit den hängenden Rotzglocken, Knabe mit dem dicken Hintern und dem Wacholderpeitschenstiel, Heranwachsender mit dem blauen Fahrrad, Stadtmensch mit den Sonnenbrillen und den weißen Hosen, großer Herr mit den losen Geldscheinen in der Tasche, Trauergast mit den geknickten Knien, Fremdling mit dem silberhellen Haselstock, Mann mit den leisen Schuhen. Wann wirst du endlich für immer hier bleiben und dich ein bißchen um uns kümmern? Wann endlich trittst du auf gegen das tönende Unrecht der sogenannten Volksvertreter, der Regionalprogramme, der Fragebögen, der falschen Fürsorge, der Elektrozäune, des bösen Netzes aus Geflimmer und Gerede, über uns geworfen zum Abtöten, zum Seelenlichtausblasen, zum Ersticken? *(Sozusagen in den Raum:)* Rache! *(Wieder zu Gregor.)* Du gehörst zu uns. Bleib hier und räche uns. Verjag die Gamsbärte aus unseren Bergen. Entlarv den Trachtenschmuck als Unzeitspuk. Knöpf unsern Mördern die krachledernen Hosenschlitze vor die zähledrigen Kriegsfratzen. Mach jedes ihrer Worte deutlich als Gebell und zeig im Innern ihres Munds den Stacheldraht. Bügle ihnen, die unsere höhnischen Zuschauer sind, das Totenhemd und spiel ihnen in ihrer letzten Stunde ihr jetziges Lachen vor.

Beide lächeln.

GREGOR

Seit jeher habt ihr hier einen gehabt, von dem ihr etwas erwartetet. Schon von den Großeltern kenne ich die Geschichte von dem, der einst von hier weg übers Meer gegangen sein soll und eines Tages zurückkommen würde, und dann würde vielleicht alles gut sein. Ein paar von diesen Sagenhaften sind ja auch tatsächlich heimgekehrt und sogar als die Wissenden aufgetreten. Wer von denen aber ist der Sagenhafte geblieben? Kennst du nicht die Geschichte von dem, der sein Daheim auf dem Wege verloren hat, und von dem das Sprichwort sagt: »So sterben alle wahrhaft großen Könige des Lebens«? Sagt euch doch endlich frei von der Erwartung, es würde jemand kommen und irgendeine Schuld sühnen, oder irgendein Verhängnis von euch nehmen, oder euch Wunderdinge von einem anderen Ort erzählen. Weht nicht auch hier der Wind der Welt? Glänzt nicht das kleinste Rinnsal manchmal als das Wasser der Ferne? Hast du im Mondlicht nicht immer wieder den Felsen der anderen Gegenwart schimmern sehen? Wenn das Gerinne des tagelangen Landregens aufhört, war es nicht immer wieder nur ein kurzer Guß in der schweigenden Ewigkeit? Das dauernd lebendige Feuer brennt auch hier, das Brot ist das Brot, und der Most im Keller ist ein Wein. Auf der Vorkriegs-Kaffeebüchse prangt die exotische Tänzerin, hinter der leuchtend welkenden Lärche der Eklat von Granatäpfeln, und in der Nacht die Verstärkung der Baumzweige durch den goldenen Zweig des Orion. Auch du warst schon in Übersee. Du warst sogar auf dem Mond. Du warst auf allen Monden. Aber auch jenseits der Meere und Kontinente sind die Verlassenen, auch dort maßt sich das Kauderwelsch der falschen Schriftgelehrten die Herrschaft an. Und du hier, liebe Alte, beschenkt mit dem Kalender aus dem Supermarkt, bedient in der Kirche mit den Schlagzeilen einer dumm-dumm-bösen Bildpost, beschallt bis in deine Besenkammer hinein von den auf der Hauptstraße hin und her rollenden Lautsprecherwagen, auch du hier sprichst die Sprache des Abenteuers.

DIE ALTE FRAU

Ich erkenne dich wieder: immer noch, wie schon damals in den Kriegen der Kinder, behauptest du die Versöhnbarkeit und willst die Versöhnung. Aber auch du wirst jetzt dem Konflikt nicht entgehen. Es läuft im Dorf das Gerücht um, ihr wolltet das Anwesen der Eltern mit einer Bankschuld belasten. Ein Beauftragter der Bank wurde öfter mit deiner Schwester gesehen. Beide hätten eigentümlich schnell miteinander gesprochen, und das Hauptwort in ihrem Gespräch war »Hypothek«. Dein Bruder sei stumm dabeigesessen, und auch auf ihn hätten sie schnell und viel eingeredet. Zu anderen sage er dann nur, er sei ein Arbeiter und verstehe nichts von dem Handel. Aber eins wiederhole er jedesmal: »Schließlich ist sie doch meine Schwester.« Und wenn man ihm vorhält, das könne nicht gutgehen, aus eurer Schwester könne keine Geschäftsfrau werden, er werde dann mitsamt seiner Familie woandershin müssen, meint er nur: »Ich bin ohnedies verloren.« Er sagt auch: »Wenn es das Haus nicht mehr gibt, dann gibt es das ganze Land hier nicht mehr. Und wenn es kein Land mehr gibt, dann soll es mich auch nicht mehr geben.« Er hat sogar gesagt: »Und ich will auch, daß es nichts mehr gibt. Ich freue mich auf den Krieg. Ich freue mich auf meinen Tod. Endlich Schluß mit dem Pendeln – es kommt das andere Pendeln. Endlich weg mit der kleinen Fremde und her mit der Großen. Weg von den tristen Sonntagsspaziergängen – auf zum Gewaltmarsch. Hinaus aus dem Garten – hinein in die Tundra. Schlagt euch die Kinderstimmen aus dem Kopf – es kommt wieder die Zeit des Gebrülls. – Und schließlich ist sie doch meine Schwester. Und schließlich ist sie doch meine Schwester!«

Nova kommt durch den Torbogen zurück und gesellt sich zu den zwei andern.

NOVA

Obwohl da drinnen niemand ist, steht das Geviert da wie für ein Ereignis; als sollte hier etwas geschehen, bald, heute noch, in dieser Stunde. Die Löcher in den Mauern sind bereit als Schieß-Scharten wie vor Jahrhunderten, und auf dem Kriegerdenkmal glimmt die vergoldete Schrift.

Aus dem finsteren Innern der Buchsbaumsträucher flattert es von Motten und anderm Nachtgetier. Im achteckigen Beinhaus liegen leere Bierflaschen. Über das Altarsticktuch ist durchsichtiges Plastik gebreitet, und darauf krabbelt eine sterbende Hornisse. Auf vielen Steinen steht eine fremde Sprache. Und doch ist nichts unheimlich. Der Himmel über dem Viereck wirkt als das Gewölbe eines großen Zimmers. Als ich unten in der Diagonale ging, flog in der Diagonale oben ein Flugzeug. Die Glocke schwang leicht im Turm und erschien zuerst als ein Mensch auf einer Schaukel. Durch das hintere Tor geht es weiter in einen Obstgarten. Es kommt mir vor, als sei das nicht bloß ein Ort, sondern ein Schauplatz, und als sei das Dunkle an den Mauern nicht der Ruß einer Vergangenheit, sondern die Farbe des Kommenden, eines Gewitters, eines die Sonne schwärzenden Pfeilschwarms. Es ist die Leere vor dem Fest. Und zugleich die Geschütztheit einer Wagenburg.

Sie nimmt Gregor am Arm und geht mit ihm ins Friedhofsinnere.

GREGOR *(bevor er im Torbogen verschwindet, zur alten Frau)*

Du wirst niemandem verraten, daß ich hier bin.

DIE ALTE FRAU *(allein)*

Es weiß davon doch schon das ganze Dorf. Es wissen davon sogar die Nachbardörfer. Vielleicht wird niemand dich ausdrücklich erkennen und niemand dich grüßen – aber von deiner Ankunft weiß längst das ganze Tal. Hat nicht im Lokalzug der Schaffner ohne eine Miene deine Karte gelocht und ins nächste Abteil hineingebrüllt, daß du auf dem Weg seist? Hast du es nicht selber gehört? Und wie er deinen Namen lautschallend von Abteil zu Abteil weitergab, das war wahrhaftig kein Akt der Rücksicht oder gar Zuneigung. Und hat nicht im postgelben Anschlußomnibus der Chauffeur jedem Neuzusteigenden nach hinten auf dich gedeutet? Und seine Geste mit dem Daumen über die Schulter sprach doch wahrhaftig nicht von einem Stolz auf dich oder gar von Freude oder Ehrerbietung. In diesem Augenblick lautet der Hauptsatz rundum im Dorf: »*Derjenige* ist da.« Du bist in einem falschen Land, mein Lieber. Du bist in einem Land, das so klein ist wie bösartig; voll von Gefangenen, die in ihren Zellen vergessen werden, und noch voller von den vergeßlichen Kerkermeistern, die nach jeder Schandtat dicker im Amt sind, mit Stimmen, die tönen, als hätte man ihnen Todeslautverstärker in die Kehlen eingesetzt, mit den Arm- und Beinbewegungen von vergifteten Enterhaken, mit Augen, aus denen mit jedem Blick die Stechwespen ausschlüpfen. Selbst ihre Spuren im Schnee sind wie die Abdrücke von folterbewährten Bügeleisen. Auch deine Abwesenheit hat dich bei ihnen nicht ins Recht gesetzt. Im Inland verliert man das Erbarmen! Kehr heim in die Fremde. Nur dort bist du *hier*; nur da ist die Freude erdnah. Such dir ein größeres Land. Zu einem Menschen gehört ein großes Land und die Verlassenheit. Und wo sind hier die Verlassenen? Sei gewiß: Niemand liebt dich. Und ungestört bleiben wirst du da drinnen auch nicht. Schon ist man unterwegs zu dir. – Der Sprecherin kommt das wie gerufen: so kann sie noch hier bleiben und muß noch nicht zurück ins Tankstellenblau und Fensterschwarz. *(Sie setzt sich auf die Steinbank in der Mauernische und beschirmt mit der Hand sozusagen die Augen.)* Ich sehe etwas, was du nicht siehst. Schon nähern sie sich im Laufschritt. Früher wären sie in eine Staubwolke gehüllt gewesen, und von den Pferdehufen hätte die Erde gebebt, weißer Schaum wäre aufs Feld gefallen. Das Schnauben der Rosse wäre noch verstärkt worden durch ein gewölbtes Blech vor den Nüstern, und ihr Kampfgesang hätte bedeutet: Endlich wird es ernst – endlich bilden diese Hügel, die Schluchten, die Felsköpfe und die Lichtungen wieder jene Landschaftsordnung, für die sie bestimmt sind: das Gelände für den Krieg. Aus ist es mit dem »Als-ob«-Spiel: den Frieden hat es nie gegeben. Ja, ihre Hände sind bereit zu jedem Fenstersturz. Sie haben Masken statt Gesichter, ihre Augen sind nur noch dunkelnde Pupillen, undurchdringlich und geweitet vor Traurigkeit wie einst die der Könige bei ihrem Aufbruch in das Totenreich, und der Bruder geht voran und schwenkt die schwarze Fahne. Ab jetzt ist hier die Front.

Hans kommt seitlich herein, mit seinem Sohn an der Hand. Anton, Ignaz und Albin bilden sein Gefolge. Sie bewegen sich alle eher langsam und ruhig. Sie haben ihre dunklen Festtagsanzüge an, mit Hüten, die sie im Näherkommen abnehmen. Das Kind von Hans trägt in der einen Hand einen übergroßen Haselstock, in der andern eine kleine Blechsparbüchse, in der es einmal die Münzen aufhüpfen läßt. Im Näherkommen dreht es sich, anders als die Erwachsenen, immer wieder um sich selbst. Alle bleiben vor dem Torbogen stehen.

Gefahr! Hört das nicht als Warnung, sondern als meinen Wunsch. Zu sehr gewöhnt bin ich schon an die Gefahr. Ich brauche sie, bin danach süchtig. Wenn ich am Tag nicht wenigstens auf einem Dachfirst balancieren kann, werde ich nervös. Ihr habt es ja am Bau gesehen: Wo es gefährlich wird, da gehe ich voraus. Am Rand der höchsten Brücke, beim Montieren des Geländers, da singe ich mit meiner schönsten Stimme, und wer mit euch, ihr Feiglinge, im Hängekorb am Kranarm sitzt, bei jedem Schwanken nur in eure starrgewordenen Hasenaugen lacht und noch fürs Extrarütteln hin zum Kippunkt sorgt, das bin hier ich. Nur das bin ich. Ich bin nichts mehr ohne die Gefahr. Ein Tag in Haus und Dorf, mit Frau und Kind, und ich tigere in einem Käfig auf und ab. Der Garten mit den Bäumen genügt mir nicht, und das Rasen im Auto ist nicht die Gefahr, die ich meine. Ich hier vom Morgen bis zum Abend in der sicheren Ebene – und auf die Straße tritt der Mann mit dem Messer, bereit zum Amoklauf. Statt dessen gehe ich ins Gasthaus und bin um Mitternacht der Mann mit dem Kopf auf dem Tisch. Wenigstens gibts den Felsen hier mit seinem Kanzelvorsprung, das Dorf zchnmal zu tief darunter, um darauf zu spucken: da war ich heute schon, und nicht allein – es mußte jemand mit, und das war der hier *(er zeigt auf seinen Sohn),* und er schrie. Und wie er schrie. Aber auch das ist eine andere Gefahr, als ich sie meine. Sie wirkt nicht nach, und jetzt bin ich so unruhig. Nicht nur unruhig bin ich, sondern elend. Gefahr, wo bist du? Lebensverstärker Abgrund, wo bist du? Unselig ist alles, von hier zum Horizont, und hier *(er zeigt)* ist der Schmerz, seit je. Ich werde mich an meine Toten wenden. *(Er zeigt.)* Sind sie nicht immer wieder das grüne Feld auf meiner Brust gewesen? Sie rede ich an im Dunklen, und sie erscheinen, im Auge der Katze, im Streifen des Zweigs im Nachtwind an der Fensterscheibe, sogar im Gebrumm des Kühlschranks. Ausgestreckt liegen die Skelette da in der Erde und sind ansprechbar. Ich werde mich zu ihnen hocken, und das wird gut tun. Nein, sie wollen nichts von mir und sind nicht böse. Ich denke mich von allem frei – und sie sind da, nicht als die Toten, sondern meine Heiligen und meine Nothelfer. Ich zeige der falschen Fülle der Aktualität mein Profil, und sie bilden im leeren Raum das Ergänzungsprofil. *(Er zeigt es.)* Ich lasse sie um mich sein, und mein böses Blut fließt anders. Meine Toten sind keine nächtlichen Gespenster – sie gehören zum Hellsten am Tag, und nicht im Schlaf rühre ich an sie, sondern im Wachen. Sie sind mit mir! Ja, manchmal fühle ich mich von ihnen gesehen, in Freundlichkeit. *(Er wendet sich an den leeren Torbogen.)* Liebe Tote, lächelt mir wieder entgegen. Zwinkert mir zu. Zeigt euch in eurem Licht und steckt mich an mit eurem Übermut, daß ich, von euch emporgelüpft, endlich wieder die paar Stufen auf einmal nehme. Empfangt mich, wenn ich in das verlassene Haus trete, wieder mit dem Zettel vom warmen Essen im Backrohr. Seid mein herzhaft frischer Atem, mit dem ich endlich die richtige Tat weiß. Beschert mir noch einmal jenen löchrigen Apfel im Baum, wo durch das leere Kerngehäuse von neuem das Weltraumblau erscheint. Ja, meine Toten, vertieft mir das Himmelsblau! Tanzt mir wieder näher in eurem Gegenlicht, mit dem Hüftknick, dem Handgelenkschlenkern und den Ruhestellungen, wie sie noch in keinem einzigen Totentanz vorkamen, mit dem zarten Schulternrund, mit dem Wangenweiß, mit den Augen-Blicken, auf jenen Feld-Wegen, in jenen Sonnen-Farben, wie sie noch niemals auf einem Totenbild waren, heute, ja, heute noch, damit mir wieder wie damals das Herz stillsteht, was da nicht Nicht-Leben hieß, sondern erst das Maß fürs Lebendig-Sein gab. Seid mein Maß, wie der fließende Fluß, die scheinende Sonne, der beginnende Regen im trockenen Laub. Meine Toten, ich grüße euch! *(Er geht mit den drei andern durch den Torbogen. Das Kind steht ein wenig da und setzt sich dann zu der alten Frau auf die Steinbank, auf die andre Seite der Mulde. Es lehnt den Stock an die Mauer und rasselt einmal mit der Geldbüchse.)*

Glaubst du an Wunder? *(Das Kind schüttelt den Kopf und rasselt.)* Als ich noch jung war, arbeitete ich eine Zeitlang im anderen Tal. Sehr allein bin ich da gewesen; als hätte ich nur noch ein Auge, so groß, und könnte es nicht schließen. Im Hof stand ein Kessel voll mit Kürbissen. Als ich zum Leeren geschickt wurde, lag dann unten am Grund des Kessels, im schwarzen Teer, ein Schock von Eiern, auf einem Büschel von blauen Heublumen. Und die Eier waren von den Kürbissen flachgedrückt, aber sie waren ganz geblieben. Da hörte ich eine Stimme *(sie erinnert sich)* – nein, solch eine liebe Stimme, nie im Leben habe ich wieder so eine liebe Stimme gehört –, und die Stimme sagte zu mir: »Sieh das Wunder – und vergiß es! Du sollst das Wunder sehen und es auf der Stelle wieder vergessen.« *(Das Kind nickt und rasselt.)* Nur mein Vater selig *(sie zeigt hinter sich)* hat mir später, als ich wieder daheim war, doch etwas angemerkt, aber ich wollte ihm nichts verraten. Da hat er gefragt: »Muß ich dir also deine Geschichte herauskitzeln wie einer Henne hinten das Ei?« – und so habe ich ihm dann alles erzählt. *(Sie erinnert sich.)* »Wie einer Henne das Ei, hinten aus dem Arschloch.« *(Sie zeigt und lacht. Das Kind lacht auch, zeigt und rasselt. Sie lachen lange, beziehungsweise rasseln. Die alte Frau erinnert sich weiter und findet den ursprünglichen Satz ihres Vaters.)* »Bom ščegetal zgodbo iz tebe kot jajce iz kokoši.« – Glej čudež in pozabi! Sieh das Wunder und vergiß. *(Sie lacht. Das Kind rasselt. Die alte Frau erinnert sich weiter.)* »Slavček med trnjem / se je zganil / in zapel; / bel cvet divje rože / je zakrvavel...«: Die Nachtigall zwischen dem Dorngestrüpp hat sich geregt und zu singen angefangen; die weiße Blüte der wilden Rose hat zu bluten angefangen... *(Das Kind rasselt. Die alte Frau schaut auf.)* Ich sehe unsern letzten Festgast kommen. Gesichtslos stürmt er heran, ohne Auge für den Ort, dem er sich nähert. *(Sie steht auf. Das Kind tut ihr nach.)* Eine weiße, abgewendete Wange ist sie. Früher hätte ich gerufen: »Die Wilde Jagd kommt!«, und gedacht: »Rettet mich!«, während ich jetzt denke: »Wen kann ich retten?« Trauer. Schmerz. Unmögliches Wunder. *(Sie geht durch den Torbogen. Das Kind folgt ihr. Sophie tritt fast zugleich von der Seite auf, gemessen und eher leise. Auch sie ist festlich gekleidet. Sie bleibt vor dem Eingang stehen.)*

SOPHIE

War ich mir denn nicht einmal zugetan? Wenn Furcht und Zittern kamen, ging ich da nicht vor den Spiegel und beruhigte mich, als meine Freundin? Allein im Bett, allein im Zimmer, allein im Kalten, krümmte ich mich doch immer wieder in die warme Höhle, die Ich war? Kam nicht wenigstens einmal am Tag der große Moment, da mich, so sanft wie ungeheuerlich, der gute Dämon überflog, der Ich war? Und ich stand dann im Licht – gut, weil ich mir selber gut war. Warum liebe ich mich nicht mehr? Gehört das »Ich!« nur zum Kind, und ist meine Kindheit also vorbei? Seit wann zähle ich bei andern, wie oft sie »ich« sagen, als sei solch ein Wort der Beweis *gegen* sie? – Ich will nicht die Böse sein. Aber ich will auch nicht mehr zurück. Ich will die Entscheidung. Statt als eure Handlangerin meine Tage zu fristen, werde ich eingreifen und mit Leidenschaft die Macherin sein und mich auch mit Stolz so nennen lassen. Geht mir mit eurer Heimat und euren künstlich beleuchteten Heiligtümern. Wenn ich nach Hause kam, dachte ich da nicht oft: »Und was soll ich da jetzt?« War mir nicht immer wieder jedes nächtliche Warten im Regen an einer Bushaltestelle lieber als die Gerüche, Geräusche und Stimmen im warmen, trockenen, hellerleuchteten Haus? Habe ich mich nicht, mit den Angehörigen an einem Tisch, oft von da weg zur unangenehmsten Arbeit, allein in den hintersten zugigsten Winkel des Magazins gesehnt? Welch ein Getue um ein Haus. Ich schaue zum Himmel, denke »Wolkenheimat!«, und das genügt mir. Ich sehe das gerillte Baumblatt als den neunarmigen Leuchter, und das genügt mir als Ort. Und wer sagt, daß eine Bank etwas Schlimmes sein muß? Kann es in einem Schalterraum nicht heimeliger zugehen als in all den wanduhrtickenden Wohnzimmern und plumeaugeplusterten Schlafzimmern, wo man statt in Atemluft in erstickende Sterberäume tritt? Ich weiß: der Fremde in der Bank ist oft immerhin jemand – und zu Hause ist meist niemand. Und Liebe erwarte ich seit je nicht von meinen Angehörigen, sondern von den Unbekannten. *(Sie geht schnell durch den Torbogen.)*

Einen Augenblick bleibt der Schauplatz leer. Dann kommen die drei Arbeiter wieder heraus, gefolgt von der alten Frau mit dem Kind. Frau und Kind setzen sich wieder auf die Steinbank. Anton, Ignaz und Albin gehen seitlich ab und kommen sofort zurück, mit einer hölzernen Leiter. Diese wird von außen an die Mauer gestellt. Einer von den dreien steigt hinauf und blickt in den Friedhof. Zu hören ist von dorther nichts. Der auf der Leiter wendet sich zu den andern um und hält sich den Hut vor das Gesicht. Er klettert herunter, und es klettert der nächste auf die Leiter. Er schaut in den Friedhof, wendet sich zu den andern und hält sich die Nase zu. Er klettert herunter, und der dritte will auf die Leiter, aber die beiden andern hindern ihn daran und halten ihn fest. Das Kind rückt näher zu der alten Frau. Die drei andern stehen am Fuß der Leiter. Alle, auch das Kind, setzen ihre eigenen Masken auf. Die drei Geschwister, ohne Nova, kommen durch den Torbogen langsam näher und halten im Vordergrund; auch sie haben die eigenen Masken auf. Sie stehen annähernd in einem Dreieck; Sophie und Gregor etwa auf gleicher Höhe, einander gegenüber; Hans in der Mitte und weiter im Hintergrund, noch fast im Torbogen.

SOPHIE *(zu Gregor)*

Weißt du noch, Bruder, wie du mir einmal sagtest, ich solle die Hand aufhalten, und wie du mir dann hineinspucktest? Entsinnst du dich, wie du, wenn du später zurück aus der Stadt kamst, gemeinsam mit uns durch das Dorf gingst, so gemeinsam, als hättest du nie im Leben etwas mit uns gemein gehabt? Das war die Zeit, wo ich mich noch bei dir einhängen wollte. Aber du hast den Arm an dich gepreßt und bist in großem Abstand neben uns hergegangen. Du hast dich deiner Angehörigen geschämt und uns verleugnet. Was war eigentlich das Besondere an dir? Über warst du unsereinem doch immer nur dadurch, daß du der warst, der reden konnte. »Ja, reden, das kann er«, das haben schon die Eltern *(sie zeigt)* von dir gesagt, und erst heute weiß ich, daß sie das nicht bloß freundlich meinten. Du hast behauptet, dich für uns verantwortlich zu fühlen – aber was hast du je für uns getan? Haus und Grund gebühren dir nicht, deine Arbeit dient doch allein dir, und alles, was du dir damit bis jetzt rechtens ersessen hast, ist ein Tisch und ein Stuhl. Ja, hast du nicht selber erzählt, daß du immer wieder denkst, nicht einmal den Stuhl zu verdienen, auf dem du sitzt, nicht den Blick aus dem Fenster im Zug, nicht die Zudecke im Bett, nicht den Bissen Brot, weil du zu allem nichts dazugetan hast? Daß manchmal alles, was du glaubst, in Stein zu hauen, zugleich vom Boden aufschwirrt und verweht? Daß deine sogenannte Arbeit nur Machwerk sein kann – und Vermessenheit: denn die Heiligen Schriften seien schon geschrieben, die Heiligen Bilder schon gemalt? So höre jetzt von einer andern Stimme als der bloßen inneren: Ein Jahr deines Schuftens gilt hierorts weniger als das Verstöpseln einer Flasche, weniger als eine Umdrehung der Kaffeemühle, und weniger als ein Tippen mit dem Kugelschreiber auf die Kassentaste. Du wirst mißbilligt. Ich mißbillige dich.

HANS *(tritt vor)*

Endlich Krieg, das Fest der Feste? Soll kein Bunker uns mehr retten: es ist ein Triumph, verloren zu gehen. Hört die Laute des krepierenden Hundes. Sein richtiger Name ist »Langes Elend«, und sein Tauf-Name soll vergessen werden. Endlich das Wort: es heißt »Krieg«, es war das Wort am Anfang, und es soll das Schlußwort sein. Welch eine Begeisterung, endlich für immer unversöhnlich zu sein. Soll alles zugrundegehen. Dieses Kind *(er zeigt)* mein Fleisch und Blut? Das war einmal. Soll es doch ein Teil all der feindlichen Haufen sein. *(Er zeigt.)* Der blaue Berg im Herbst? Das war einmal. Nie wieder soll ein Omnibus anhalten mit einem altvertrauten Gesicht darin. Wir drei hier Kopf an Kopf gedrängt und lachend im Blitzen einer Fotozelle? Das war einmal. Nie wieder der Stern Aldebaran hervorblakend hinterm Mond, so wie hinter unsern hohlen Händen die Feuerzeuge geblakt haben auf den zugigen Baustellen: Sollen unsre Gesichtsabdrücke im Lehm sein, sollen sie nirgends mehr sein. Soll auch im Lehm nichts mehr sein, soll weit und breit kein Auge mehr sein. Soll das Gras, ohne unsern Farbenblick, stehen und zu nichts verwehen. Soll der Fluß ohne unsre Augenfeuchtigkeit mäandern und versickern. Ohne unsern Antwortschimmer steht der Felsen, und es schimmert gar nichts mehr. Tor des letzten Weltkriegs, auf mit dir. Gib Laut, Hund der Schlacht, und faß uns *(er zeigt),* faß sie doch alle. Soll doch die Nacht der Zeiten uns ihr Sackschwarz über den Kopf stülpen und *(er zeigt)* endlich zuschnüren. Sogenannter herzlieber Planet, sogenannte friedensstiftende Erde, enttarne dich endlich als geheime Superwaffe, die sich brüllend im Kreis dreht *(er dreht sich ein paarmal rundum, und die Umstehenden weichen auseinander),* und erledige als fahler, formloser, humorloser, nachtdummer Tod uns alle.

Er macht Miene, abzugehen – wartet dann aber, als könne das Gesagte doch nicht das letzte Wort sein.

GREGOR

Vor ein paar Jahrhunderten war es im Tal hier üblich, sogenannte »Blattmasken« herzustellen. Zwischen den holzgeschnitzten Blättern öffnete sich dann ein Mund, und es schauten menschliche Augen hervor. Einmal habe ich uns – nicht nur uns drei – so zusammen im Laub gesehen. Ich bin im Spätherbst durch einen großen Park gegangen, der bedeckt war mit abgefallenen Blättern, der Abglanz des Sonnenuntergangshimmels darauf, und die Blätter bewegten sich leicht zwischen den Halmen, und manchmal sprang auch eins auf oder überschlug sich. Und während ich mich langsam da durchbewegte, stiegen aus dem Laub die Gesichter und die Geschichten von uns allen auf: es war *ein* Gesicht und *eine* Geschichte, und dieses eine Gesicht und die eine Geschichte, das weiß ich seitdem, muß das Ziel der Arbeit sein, nicht nur meiner Arbeit, sondern unser aller Arbeit. Die Bewegung dieser abgefallenen Blätter im Gras war das Sanfteste, was je ein Mensch gesehen hat! Aber jetzt ist es, als liefen nur noch einzelne davon im Finstern hinter mir her und knackten und knisterten wie die Schritte von Hunden oder von Verfolgern. Hier ist nun mein Entschluß: Betrachtet ihr zwei das Haus und das Stück Land als euer Eigentum und verfahrt damit, wie euch beliebt. Ich verzichte, und das tut nicht einmal besonders weh. Ich bin im Moment fast erleichtert darüber. Verspielt nur das Land – das ist sogar recht: unsereinem stehen weder Boden noch Haus zu, wir sind nur wir als Verlierer. Wir stammen von Verlierern ab, die wie Käselaibe ins Grab gerollt sind *(er zeigt),* und wir werden ihnen ebenso nachrollen, jeder für sich. Wir werden uns vielleicht noch öfter irgendwie sehen, und wir werden uns nie mehr sehen. Ja, wir sehen einander gerade zum letzten Mal. *(Er wendet sich plötzlich an das Kind.)* Und hier sitzt er schon, der kommende Verlierer, der für das Fortsetzung-folgt sorgen wird. Da hockt er auf seinem weißen Verlierer-Hintern, den schon bald *(er zeigt in den Raum)* die vielfältigsten Jagdpächter mit ihrem Schrot spicken werden. Schon schaut er dumm drein wie der im voraus Schuldiggesprochene, und sein ganzer Stolz ist der Knall, mit dem sein aufgeblasener Kaugummi platzt. *(Das Kind rasselt leise.)* Er wird ein Sklave sein wie sein Vater und sein Großvater, und er wird ohne Bedenken den nächsten Sklaven zeugen, der wiederum brav den Nachwuchssklaven in die Welt setzen wird. Nie wird ihm die Idee von irgendeiner weiterzugebenden Hinterlassenschaft kommen, gedächtnis- und orientierungslos wird er mit seinesgleichen in gleichwelchen Unterschlupf kriechen und in eine Himmelsrichtung den Kopf nur beim Kriegsspiel heben. Er wird einer der Schreihälse sein, die im Namen aller auftreten, und die keiner haben will. Mit Geld wird er klimpern, wo es für ihn nichts zu kaufen gibt, und das große Wort wird er führen, während ihn die, die das Sagen haben, schweigend verachten. Bald werden aus den Schultaschen der andern die kleinen Sachen fehlen, und er wird der grinsende Dieb sein. Er wird der eifrige Löscher und der Brandstifter sein. Jemand wird im Maisfeld liegen, und er wird der Mörder sein. Oder er wird nichts von dem allen sein und der freundlichste der Menschen sein und mit seiner Sanftmut jeden Streit beruhigen und eines Tages den Kopf senken und einen langgezogenen, nie mehr vergehenden Leidenston von sich geben und sagen: »Das Dorf – setzt dessen Namen ein – widert mich an. Die Welt widert mich an. Es ist nicht schade um mich. Es ist nicht schade um uns Menschen.« Und wieder wird einer verloren gegangen sein, und die Jagdpächter werden nicken und sagen: »Ja, ja.« Und ich, ich will nie mehr euer Einspringer sein. Ich weiß jetzt: Ihr Verwandten, ihr seid die Bösen. *(Das Kind rasselt sich frei vom Gesagten.)*

SOPHIE

Was du da sagst, ist nicht erlaubt. Geh weg von hier, für immer.

GREGOR

Es hat mir weh getan, derart zu reden.

SOPHIE

Mir tut es weh, zu sagen, daß hier nicht mehr dein Platz ist.

GREGOR

Wir haben alle diesen Platz verspielt.

SOPHIE

So wie du sprichst, so redet keiner aus demselben Dorf, demselben Tal, sondern der Böse.

GREGOR

Der Böse mit der zugeschnürten Kehle? Der Böse mit den schweren Armen? Der Böse mit dem Schmerz hier? *(Er zeigt auf sich.)*

Nova tritt hinten in den Torbogen und steht dort, ohne Maske.

SOPHIE

Der Schmerz ist hier bei mir und sagt zu dir: Du stürzt. Und du stürzt tief. Und auf deinem Sturz bist du allein. Kein Schimmer Trost für jemanden, der ist, wie du bist: der einem anderen die Freude an sich selber nimmt, und der das Böseste vom Bösen tut: der einem Kind im Namen eines Wahnweltbilds die Zukunft stiehlt. *(Beide schauen weg in den Zuschauerraum.)*

GREGOR

Schauerliches Mißverständnis.

SOPHIE

Befreie uns von deiner Anwesenheit und laß uns Lebende in Ruhe.

HANS *(leise zu den drei Genossen)*

Sagt »Jammer«.

DIE DREI *(leise)*

»Jammer.«

HANS

»Wer hilft?«

DIE DREI

»Wer hilft?«

HANS

Schaut weg von mir.

ANTON

Der Fluß ist ausgetrocknet.

IGNAZ

Der Milchstand abgerissen.

ALBIN

Der Dorfkrug ohne Wein.

HANS

Schwer wird das Gehen auf der Erde.

ANTON

Die Sonne ist aus Eis.

IGNAZ

Sie weigert sich, zu scheinen.

ALBIN

Ich sehe hinter dem bösen Mond einen noch böseren aufgehen.

HANS

Blickt, Sterne, endlich auf andre Erdbewohner herab.

ANTON

Der Mann am Brunnen ist ein Tunichtgut.

IGNAZ

Die barfüßige Dame hebt nicht mehr im Gras den Rocksaum.

ALBIN

Der Knabe mit der roten Weste spuckt auf uns.

HANS

Das Mädchen mit dem Wasserheber ist kein Bild des Lebens mehr. Singt das Wehgeschrei. Schreit im Takt. Steht auf gegen die sogenannte Schöpfung und singt, nach Leibeskräften falsch, unser Klage- und Rachelied!

Sie singen nach Leibeskräften falsch.

ANTON

Versunken das Gestade der Liebe.

IGNAZ

Ich liege zuckend an keinem Ufer.

ALBIN

In der entzweigebrochenen Nuß-Schale windet sich mein Gehirn, kein Mann mit dem Losungswort hilft mir heraus, niemand mehr wird sich lieb zu mir dazuhocken, mein verzweifelnder Blick findet kein Augenpaar, meine Lippen zucken in Fassungslosigkeit, und ich japse zu keinem Himmel in den letzten Wellen vor dem Nichts-Nichts-Nichts.

HANS *(wendet sich an die alte Frau)*

»Es gibt keinen Trost.«

DIE ALTE FRAU

»Es gibt keinen Trost.«

HANS

Es gibt weder Erkenntnis noch Gewißheit. Es gibt nichts Ganzes, und was ich denke, denke ich allein, und was mir allein einfällt, ist nicht Wahrheit, sondern Meinung, und es wirkt keine Weltvernunft, und das gemeinsame Menschheitsziel geht mehr denn je um als Gespenst.

DIE ALTE FRAU

Im Essigschwamm ist nicht einmal mehr Essig.

HANS

Im Mann mit dem Heilsblick scheppern die Mühlsteine.

DIE ALTE FRAU

Aus dem Mund der Sterbenden schwebt kein Kind als gerettete Seele auf.

HANS

Die Spitzen der Kirchtürme ragen als Spieße im Feindesland.

DIE ALTE FRAU

Die Seitenwunde stinkt, und die rubinleuchtenden Sterne gehören zum Mörderbären.

HANS *(wendet sich an das Kind)*

Es gibt keine Einheit zwischen oben und unten. *(Das Kind rasselt.)* Das Blau des Himmels ist nur unser kindisches Flehensblau. *(Das Kind rasselt.)* Niemand will uns, und niemand hat uns je gewollt. *(Das Kind rasselt. Allmählich fallen alle andern, außer Nova, in Hans' Gesang ein.)* Unsere Häuser sind im Leeren stehende Verzweiflungsspaliere. *(Das Kind rasselt.)* Unsere Wendeltreppen, links oder rechts gedreht, führen zu nichts als zu Stapeln alter Zeitungen. *(Das Kind rasselt.)* Die steinernen Herolde mit den Friedenszweigen oben auf unseren Palästen sind nicht bloß so stumm im Maschinenlärm *(das Kind rasselt)* und nicht bloß so schwarz von den Abgasen *(das Kind rasselt)* und stehen immer weniger als Steinmale *(das Kind rasselt)* und verwehen immer mehr als irgendein Sand. *(Das Kind rasselt.)* Wir sind nicht auf dem falschen Weg, sondern auf gar keinem. Ja, nicht verwurzelt sind wir, sondern erstarrt. Unterwegs auf hoher See, stecken wir verschnürt, geknebelt, beatmet mit der Nirgendwo-Luft, im schalltoten Wandschrank, wo nur noch das Böse wirklich ist, und wir uns nicht einmal, wie einst im Sprichwort, ans eigene Herz wenden können. Ja, auf mich drückt ein Sterbendgewicht, und mein Körper krümmt sich zur Todesbarke – und das schlimmste ist, daß wir, statt wie einst die Untergehenden die Lebenden zu segnen, ihnen auch noch die Feste verderben! Denn wer von uns, im Untergang, spricht wenigstens den Namen seines Geliebten? *(Er kann plötzlich lachen.)* Aber wenigstens packt mich jetzt die wilde Fröhlichkeit über die Verkommenheit von uns allen. *(Er dreht sich um sich selber in einem grotesken Tanz. Er hält inne und klagt:)* Wie verlassen die Menschheit ist. Wie verlassen die Menschheit ist.

Nova tritt dazwischen, und die andern richten nach und nach die Blicke auf sie, zuletzt auch Hans. Sie gibt Anton, Ignaz und Albin einen Wink und verschwindet dann durch den Torbogen. Die drei tragen nun die außen an der Mauer lehnende Leiter durch das Tor in das Innere und kommen wieder zurück. Wie ein Torso erscheint Nova oben über der Mauer und stützt sich dort auf. Das Kind nimmt den Stock und stößt ihn, mit Hilfe der alten Frau, kräftig auf. Alle wenden sich Nova zu. Diese spricht ruhig, leichthin, und zugleich doch dringlich. Das Reden fällt ihr immer wieder sehr schwer.

NOVA

Nur ich bin das hier, Abkömmling aus einem anderen, nicht gar verschiedenen Dorf. Doch seid gewiß: aus mir spricht der Geist des neuen Zeitalters, und der sagt euch jetzt folgendes. Ja, es gibt die Gefahr: und nur dadurch kann ich reden, wie ich reden werde: im Widerstand. So hört jetzt mein Dramatisches Gedicht. – Es ist schon recht, nicht mehr dahinzuträumen, aber weckt einander doch nicht mit Hundegebell. Ihr seid nicht die Barbaren, und keiner von euch ist der Schuldige, und gerade in euren Verzweiflungsausbrüchen habt ihr vielleicht bemerkt, daß ihr gar nicht verzweifelt seid. Verzweifelt, wärt ihr schon tot. Man kann nicht aufgeben. Spielt also nicht zur Unzeit die einsamen Menschen: denn wenn ihr euch selber zugetan bleibt, seht ihr da nicht in der Verlassenheit einen Schimmer der Götter? Es gibt dieses Wort, und es ist durch kein anderes ersetzbar. Es stimmt freilich, daß es in eurer Geschichte keinen einzigen stichhaltigen Trost gibt. Aber laßt das Gegrübel über Sein oder Nicht-Sein: das Sein ist und wird weitergedacht, und das Nicht-Sein ist nicht denkbar – es gibt darüber nur ein Brüten. Wißt, wie gleich ihr seid – wißt, wie ihr gleich seid. Bloß ich sage das. Aber nur Ich bin nicht *nur* ich. Ich-Ich kann das Leichteste und Zarteste unter dem Himmel sein, und zugleich das All-Umfassende – das Entwaffnende. »Ich!« bin der einzige Held – und ihr sollt die Entwaffnenden sein. Ja, das Ich ist die menscherhaltende Menschnatur! Der Krieg ist fern von hier. Das zwischen euch Vorgefallene sei euer letztes Drama gewesen, das gerade Gesagte sei ungesagt. Unsere Heerscharen stehen nicht grau in grau auf den grauen Betonpisten, sondern gelb in gelb in den gelben Blütenkelchen, und die Blume steht hochaufgerichtet als unser heimlicher König. Ja, die Verneigung vor der Blume ist möglich. Der Vogel im Gezweig ist ansprechbar, und sein Flug macht Sinn. So sorgt geduldig in der mit künstlichen Farben fertiggemachten Welt für die wiederbelebenden Farben einer Natur. Das Bergblau *ist* – das Braun der Pistolentasche ist *nicht*; und wen oder was man vom Fernsehen kennt, das kennt man nicht. Geht in der ausgestöpselten freien Ebene, als Nähe die Farben, als Ferne die Formen, die Farben leuchtend zu euren Füßen, die Formen die Zugkraft zu euren Häupten, und beides eure Beschützer. Unsere

Schultern sind für den Himmel da, und der Zug zwischen der Erde und diesem läuft nur durch uns. Geht langsam und werdet so selber die Form, ohne die keine Ferne Gestalt annimmt: ohne Linien seid ihr nicht ihre Meister. Und glaubt nicht den Steigerungen: sie sind eine Sache der Launen – höchste Gipfel kann man nicht erobern, nur erspazieren. Tretet in den Moment der aufgehenden Sonne, die euer Maß sein wird: nichts als »die Sonne und ihr«, und die Sonne euer Weiterwinker: die Sonne, sie hilft. Die Natur ist das einzige, was ich euch versprechen kann – das einzig stichhaltige Versprechen. In ihr ist nichts »aus«, wie in der bloßen Spielwelt, wo dann gefragt werden muß: »Und was jetzt?« Sie kann freilich weder Zufluchtsort noch Ausweg sein. Aber sie ist das Vorbild und gibt das Maß: dieses muß nur täglich genommen werden. Der gelbe Falter verherzlicht das Himmelsblau. Die Spitze des Baums ist die rechtmäßige Befreiungswaffe. *(Sie zeigt.)* Überzeugt euch – folgt dem projektillosen Lauf – schaut. Die ziehenden Wolken, auch wenn sie dahinjagen, verlangsamen euch. Wenn kraft des in der Ferne zitternden Flusses mein innerstes Herz erzittert, dann erst bin ich die Seiende. *(Das Kind stößt den Stock auf. Einsetzen der Karawanenmusik.)* Wer sagt, daß das Scheitern notwendig ist? Überhört den Schluckauf der Sterbenden: sie lügen. Denkt nach: habt ihr euren Krieg nicht hinter euch? So verstärkt die friedliche Gegenwart und zeigt die Ruhe von Überlebenden: das Ich ist ruhig. Und das Wissen, daß ihr Überlebende seid, macht zugleich heiß. Hier ist das Gegenhaus zu einem Krankenhaus, und was von weitem vielleicht der drohende Kopf des Todes war, entfaltet sich beim Näherkommen als Kinderspiel. Die schwarzen Augenhöhlen gehören zu einem freundlichen alten Mann. Schüttelt euer Jahrtausendbett frisch. Bewegt euch. Die lebenslang Siechen, das seid nicht ihr. Eure Kunst ist für die Gesunden, und die Künstler sind die Lebensfähigen – sie bilden das Volk. Übergeht die kindfernen Zweifler. Wartet nicht auf einen neuen Krieg, um geistesgegenwärtig zu werden: die Klügsten sind die im Angesicht der Natur. Blickt ins Land – so vergeht die böse Dummheit. Habt ihr nicht alle schon die Weite erlebt? Die Weite gilt – ohne Haus oder Zweithaus irgendwo. Laßt ab von dem Zweitgeschwätz und bietet euren Nachkömmlingen nicht das Teufelsprofil. Das Haus der Kraft, das ist das Gesicht des andern. Und verachtet die unernsten Spötter: *es* ist noch immer – seid dankbar. Die Dankbarkeit ist die Begeisterung, und erst das Bedankte erscheint als die Dauerform – erst die Dankbarkeit gibt den Blick in die weite Welt. Hier, jetzt, ist das Fest der Erkenntlichkeit. So laßt euch nicht nachsagen, ihr hättet den Frieden nicht genutzt zu Werken: euer Arbeiten soll ein Wirken sein – gebt etwas weiter.

Weitergeben tun aber nur, die etwas lieben: liebt eines – es genügt für alles. Die Liebe erst ermöglicht die Sachlichkeit. Nur du, Geliebter, giltst. Dich liebend, erwache ich zu mir. *(Das Kind stößt den Stock auf. Die Alte daneben hilft.)* Und entwertet nicht den euch endlich gelingenden Ernst mit Witzen: es gibt keine guten Witze. Es ist richtig: viele, auch im prächtigsten Aufzug, sind unfähig zum Festesblick. Aber wenn die meisten nicht erhebbar sind, seid die Erhebbaren. Freilich seid ihr wenige – aber die Wenigen, sind sie denn wenig? Seht weg von den Ausgekochten, den viehischen Zweibeinern. Sie sind vielleicht schlau, ihr aber, seid wirklich. Folgt der Karawanenmusik. Sind die Menschen insgesamt nicht die Unverdrossenen? *(Sie steigt eine Stufe höher.)* Geht so lange, bis ihr die Einzelheiten unterscheidet, so lange, bis sich im Wirrwarr die Fluchtlinien zeigen; so langsam, daß euch wieder die Welt gehört, so langsam, daß klar wird, wie sie euch *nicht* gehört. Ja, bleibt für immer fern von der kraftlos-gewalttätigen, der als Macht auftretenden Macht. Die gute Kraft ist die des Übersehens. Vernichtet – aber nur durch Licht. Bewegt euch – damit ihr langsam sein könnt: Die Langsamkeit ist das Geheimnis, und die Erde ist manchmal etwas sehr Leichtes: ein Schweben, ein Ziehen, ein gewichtloses Bild, ein Sinnreich, ein Eigenlicht – übernehmt dieses Bild für euer Weitergehen: es gibt den Weg an, und ohne das Bild eines Wegs gibt es kein Weiter*denken*. Klagt nicht darüber, daß ihr allein seid – seid noch mehr allein. Die Not gibt den Ort: da hinten im Stockschwarz schimmert ein Weiher; da hinten jenseits der Grabkreuze schimmern die Pyramiden; gleich nebendraußen rauscht der Baum vorbei als Omnibus. Überliefert das Rauschen. Erzählt den Horizont. Übt, übt die Kraft der schönen Überlieferung – damit das Schöne nicht jedesmal wieder nichts war. Erzählt einander die Lebensbilder. Was gut war, soll sein. Verlangsamt euch mit Hilfe der Farben – und erfindet: seht das Grün und hört das Dröhnen, und verwandelt eure unwillkürlichen Seufzer in mächtige Lieder. Ja, in den wahrhaften Momenten entsteht ganz natürlich das Gebet zu den Göttern: der Himmelsschrei ist die Form, und die Form zeigt im Raum die Arkade: unsre Kunst muß aus sein auf den Himmelsschrei! Ihr andern, hört das Singen der Schöpfer. Es gibt die Landschaft, wo ihr euch im Kreis drehen könnt, und die Leere hinter euch wird wieder fruchtbar, die Leere vor euch voll der Erwartung der künftigen Gehenden, der kalte Satellit wieder »der helläugige Mond«. Blickt in das Fruchtland und laßt euch nicht die Schönheit ausreden – die von uns Menschen geschaffene Schönheit ist das Erschütternde. Erfindet immer neu das Rätsel: betreibt die Enträtselung, die zugleich das Eine Rätsel verdeutlicht, als das wir jeden Morgen erwachen und jeden Abend uns zur Ruhe legen. Vergingen nicht schon viele Nächte ohne die Angst, Stirn an Stirn mit einem Kind, einem Tier, der bloßen Luft – und ihr fandet euch wieder mit den Umrissen der Sternbilder? Die Erkenntlichkeit, das sind die warmen Augen, das Gegenteil von den zwei Dolchfingern drin. Merkt euch: sooft ihr starr angeblickt werdet vom entgegenkommenden Kind, seid ihr die Ursache. *(Sie steigt eine Stufe höher. Deutlicher die Musik, die bis zum Schluß an Inständigkeit zunimmt.)* Viele Tarnungen anzunehmen, wird auf dem Weiterweg euer Geschick sein, und manch fröhlichen Schwindel zieht zu Recht jeder öffentlichen Wahrheit vor. Zu tun als ob, ist eine Kraft. Ja, verleugnet euch, verbergt euch, sagt, daß ihr nicht seid, die ihr seid. Nur die Zugeknöpften erinnern sich. Spielt gewissenlos die Possen – die Sätze, Gebärden und Blickwechsel – der Alltäglichkeit. Man kann sich nicht immer haben – sich zu verlieren, gehört zum Spiel. Spielt euer Spiel – aber es sei beseelt. (Und doch: Stolz geht nur der Unmaskierte!) *(Das Kind stößt den Stock auf.)* Immer wieder wird einer von euch der lebende Tote sein müssen: Schließ dann die Augen und hell dir auf dein verlorenes Gesicht. Schließt die Augen, und aus dem Nachbild der Sonne entsteht der neue Kontinent. Geht hinaus in den unbekannten Erdteil, mit menschlicher Langsamkeit. Ich sehe vor uns ein großes Reich, das noch leer ist. Laßt die Illusionslosen böse grinsen: die Illusion ist die Kraft der Vision, und die Vision ist wahr. *(Das Kind stößt den Stock auf. Alle nehmen die Masken ab.)* Gehend, versäumt nicht die Schwellen zwischen dem einen Bereich und dem nächsten: erst mit der Erkenntnis der Übergänge erhebt sich der Wind des anderen Raums, und die kreisenden Raben sind keine Unglücksvögel, sondern bringen euch Heroen die Speise. Ja, überliefert form-sehnsuchts-durchdrungen die heile Welt – das Hohnlachen darüber ist ohne Bewußtsein. (Es hat den falschen Namen: es sind die Krepierlaute der Seelenkadaver.) Mephisto ist hier nicht die Hauptfigur. Die Gegensprechanlage ist ohne Strom. Die Seelenfänger treten woanders auf; und wenn euch ein Tod angst macht, dann habt ihr ihn falsch gelesen. Die Toten sind das zusätzliche Licht – sie verwandeln euch. Macht euch nichts aus eurer Unfähigkeit, sie anzureden: eine Silbe genügt. Aber mehr noch gedenkt unsrer Ungeborenen, gekrümmt in den Bäuchen – verwandelt euch. Zeugt das Friedenskind! Ja, zieht auf die Friedenskinder – rettet eure Helden! Sie sollen bestimmend sagen: Krieg, laß uns in Ruhe. *(Sie steigt ein, zwei Stapfen höher, so daß sie jetzt fast als ganze über der Mauer steht.)* Ihr Leute von hier. Ihr seid die Zuständigen. Ihr seid weder unheimlich noch ungeheuer, sondern unfaßbar und unerschöpflich. Laßt euch nicht mehr einreden, wir wären die Lebensunfähigen und Fruchtlosen einer End- oder Spätzeit. Weist mit Entrüstung zurück das Geleier von den Nachgeborenen. Wir sind die Ebenbürtigen. Wir hier sind so nah am Ursprung wie je, und jeder von uns ist bestimmt zum Welteroberer. Soll die Zeit des Lebens nicht die Episode des Triumphs sein? Ja, die Zeit unsres Daseins soll unsre triumphale Episode sein! Vielleicht gibt es keine Orte einer Wildnis mehr; aber das Wilde, immer Neue, ist noch immer: die Zeit. Es wird immer wieder ernst. Das blecherne Ticken der Uhren besagt nichts. Die Zeit ist jenes Vibrieren, das euch durch das verfluchte Jahrhundert hilft, und zugleich das Lichtzelt des Überdauerns. Nur die Blicklosen halten das für ein Bild. Zeit, ich habe dich! Leute von hier: vergeßt die Sehnsucht nach den vergangenen heiligen Orten und Jahren. Mit euch ist die heilige weite Welt. Jetzt ist der heilige Tag. Wirkend arbeitend, seht ihr ihn und könnt ihn fühlen. Jetzt: das sind die Farben. Ihr seid jetzt, und ihr seid die Gültigen. Daß ihr seid, ist ein Datum. Handelt danach. Und laßt ab von dem Gegrübel, ob Gott oder Nicht-Gott: das eine macht sterbensschwindlig, das andre tötet die Phantasie, und ohne Phantasie wird kein Material Form: diese ist der Gott, der für alle gilt. Das Gewahrwerden und Prägen der Form heilt den Stoff! Gottlos allein, schwanken wir. Vielleicht gibt es keinen vernünftigen Glauben, aber es gibt den vernünftigen Glauben an den göttlichen *Schauder*. Es gibt den göttlichen *Eingriff*, und ihr alle kennt ihn. Es ist der Augenblick, mit dem das Drohschwarz zur Liebesfarbe wird, und mit dem ihr sagen könnt und weitersagen wollt: *Ich bin es*. Ihr weint, und es weint – ihr lacht, und es lacht. Ja, es gilt: dem langsamen Blick, wenn dieser zugleich ein Aufblicken ist, lächeln aus den Dingen die Antlitze der Götter. (Seht das Wunder und vergeßt es.) Und die Stimme der Gottheit geht so: Du kannst dich liebhaben. (Wenn ihr euch selber nicht zugeneigt seid, ist es besser, ihr seid tot.) Leute von jetzt: entdeckt, entgegengehend, einander als Götter – als Raumaushalter, Raumerhalter. Wollt es, werdet es, seid es – und führt euch nicht auf als die Hunde, bei deren Anblick sofort die Phantasie erstirbt. Menschen, götterflüchtige Götter: Schafft den großen Satz. Wollet den Sprung. Seid die Götter der Wende. Alles andere führt ja zu nichts – nichts sonst führt mehr zu etwas. Es ist der Freundesdienst, durch den die Freude möglich wird, und die Freundschaft umtanzt dann den Erdkreis. Die Freude ist die einzige rechtmäßige Macht. Sie baut den durchsichtigen Turm in die Landschaft – alltäglich, verläßlich: er will nur erobert sein. Mit dem Atem der Freude taucht im regulierten Fluß die ehemalige Insel auf! Erst wenn ihr euch freut, geht es mit rechten Dingen zu. *(Sie spricht immer langsamer. Das Kind stößt den Stock auf.)*

Leute von jetzt – Menschen der Freude: Es bleibt freilich dabei, daß es in unser aller Geschichte keinen stichhaltigen Trost gibt. Wer mißt? Die machthabenden Kindermörder verschwinden ungestraft im Dunkeln, und die gemeuchelten Seelen – sind die Seelen nicht unsere Kinder? – bleiben ungerächt. Die Ruhe ist nur episodisch: die Lebenden sind die ewig Getriebenen. Was gerade noch der Anfangsbaum eines Hains war, löst sich beim nächsten Blick auf in das Nichts, und die rieselnden Brunnen stürzen um zu Barrikaden. Die Hoffnung ist der falsche Flügelschlag. Das wüste Seufzen im Vorbeigehen, links und rechts, ist nicht überhörbar. Die Freudeverderber sind überall, und der ärgste von ihnen ist durch das geglückteste Leben nicht wegzudenken: mit dem Schmerz aller Schmerzen biegen wir ab vom aus der Vorzeit in die Vorzeit fließenden schönen Wasser und erwarten mit fassungslosem Grausen den affenartig geschwinden Raumsturz des Todes. Nein, wir können nicht nichts sein wollen! Unter der Freudensonne gehend, schlucken wir zuinnerst die Bitterkeit. Liebe Leute von hier: es gibt in unsrer Menschengeschichte nirgends einen stichhaltigen Trost. Die Schreie des Grauens werden sich ewig fortsetzen. Unsere Geborgenheit ist das Nirgendwo. Das einzig wirkende Beten ist die Danksagung; euer Flehen um Gnade weckt bloß die Nichtszeichen. Das Übernatürliche ist nicht zu erwarten. Aber seid ihr bei Trost nicht auch schon, wenn ihr im fließenden Wasser langsam das Blatt treiben seht? Nach dem Blindmoment des Schmerzes der Augenblick des Humors! So richtet euch auf und seht den Mann im dunklen Anzug und weißen Hemd, seht die Frau, die jenseits des Flusses auf dem Balkon in der Sonne steht. Beweist, gegen den Allesverschlinger, mit euren Mitteln, unseren menschlichen Trotz! Ein Mensch, der lebt, schaut, wo noch etwas lebt. Jedem noch so flüchtigen Kuß einen Segen. Und jetzt zurück auf eure Plätze, jeder auf den seinen. Bewegt euch, in unauffälliger Langsamkeit. Folgt den Linien der Planken hier, die vor Fluchtlinien glänzen. Langsam vorangehend, formt die Schleife der Unendlichkeit. Dämonisiert den Raum, durch Wiederholung. Ruhig vom Entschluß, wird die Welt. Nur das Volk der Schöpfer, jeder auf seinem Platz, kann werden und sich freuen wie die Kinder. Euer Bett steht im Freien. Im Leeren ergeht euch den Weg. Legt euch die Laubmaske an und verstärkt das vollkommen-wirkliche Rauschen. In der Erschütterung erst seht ihr scharf. Die Form ist das Gesetz, und das Gesetz ist groß, und es richtet euch auf. Der Himmel ist groß. Das Dorf ist groß. Der ewige Friede ist möglich. Hört die Karawanenmusik. Zieht dem allesdurchdringenden, allesumfassenden, alles würdigenden Schall nach. Richtet euch auf. Abmessend-wissend, seid himmelwärts. Seht den Pulstanz der Sonne und traut euerm kochenden Herz. Das Zittern eurer Lider ist das Zittern der Wahrheit. Laßt die Farben erblühen. Haltet euch an dieses dramatische Gedicht. Geht ewig entgegen. Geht über die Dörfer.

Sie steigt von der Leiter und kommt durch den Torbogen, mit einer Krone in der Hand. Sie tritt zum Kind und bedeutet diesem, sich in die Mulde der Steinbank zu setzen. Das Kind rückt hin. Nova setzt ihm die Krone auf. Man gruppiert sich um das Kind herum und legt sich die Laubmasken an. Die Karawanenmusik.

Salzburg, Herbst 1980 und Winter 1980/81

Alphabetisches Gesamtverzeichnis der suhrkamp taschenbücher